La guérison dans votre assiette

AVERTISSEMENT

L'équipe de rédaction des Éditions Cardinal est composée de journalistes et de rédacteurs soucieux de fournir aux lecteurs les informations les plus récentes et les plus éclairées en matière de santé. Tous s'appuient sur des données validées par les groupes de recherche et les spécialistes les plus respectés. Toutefois, ces informations ne sauraient remplacer le médecin lorsqu'il s'agit de poser un diagnostic, de donner un avis médical ou de prescrire un traitement à un patient. C'est la raison pour laquelle l'éditeur décline toute responsabilité dans l'usage que pourraient faire les lecteurs des produits et conseils mentionnés. La personne qui suivra les recommandations de cet ouvrage le fera sous sa seule responsabilité.

Rachel Fontaine

La guérison dans votre assiette

86 aliments santé
125 recettes pour vous soigner

LES ÉDITIONS CARDINAL

Rachel Fontaine

La guérison dans votre assiette
86 aliments santé
125 recettes pour vous soigner

Conception graphique et mise en pages : Luc Sauvé
Photographies : Julie Léger
Révision : Denis Poulet

ISBN : 2-920943-18-9

Dépôt légal – Bibliothèque Nationale du Canada, 2006
Bibliothèque Nationale du Québec, 2006

Les Éditions Cardinal
10-38, Place du Commerce
C.P. 538
Île-des-Sœurs, Qc
H3E 1T8

IMPRIMÉ EN CHINE

Que ta nourriture soit ton seul médicament,
et la médecine ta seule nourriture.
HIPPOCRATE

Un retour aux sources

Saviez-vous que les oignons protègent le sang contre les effets nocifs de certains gras ? Que le gingembre constitue un traitement efficace contre les rhumatismes, l'arthrite et le mal des transports ?

Certes nous connaissons les pouvoirs thérapeutiques de l'ail, les effets bénéfiques du thé sur la digestion, les réserves de vitamines que représentent les agrumes pour soigner les rhumes, les effets bienfaisants sur la santé des carottes et des épinards; nos mères les connaissaient et leurs mères avant elles en ont tiré les meilleurs bénéfices. Mais que savons-nous des pouvoirs étonnants de l'avocat, des champignons, du miel, du curcuma, des bleuets, du persil ou du chou ?

Longtemps avant nous, bon nombre de peuples ont exploré les propriétés médicinales des aliments qu'ils consommaient pour traiter les infections et prévenir les maladies. Par exemple, les Chinois ont utilisé abondamment leur nourriture pour se guérir, et leur cuisine est la plus réputée de toutes. Nombre d'autres peuples orientaux ont fait de même et, plus près de nous, les Grecs et les Romains concoctaient des potions et des élixirs à base de fruits et de légumes qui les guérissaient de bien des maux.

À la fin du XXe siècle, des nutritionnistes, des médecins, des pharmaciens, appuyés par une multitude d'autres scientifiques, se sont intéressés aux étonnantes propriétés de ces médicaments naturels. Les résultats de leurs recherches ont fait l'objet de milliers de publications, on ne compte plus les études rigoureuses ayant mené à des constatations étonnamment positives sur les pouvoirs phénoménaux que recèlent le brocoli, le chou, le poisson, les haricots, le thé et bon nombre d'aliments dont nous pouvons garnir notre table quotidiennement. Pourtant, nous ignorons le plus souvent ces encourageantes constatations et continuons à être aux prises avec des problèmes de santé récurrents. Et cela, bien que des études récentes aient permis de découvrir que la longévité de nombreuses populations reposait principalement sur les particularités de leur régime alimentaire, un mode d'alimentation riche en aliments frais et comptant peu de produits transformés.

Cette hypothèse a pu paraître déconcertante à plus d'un Nord-Américain qui a fait de la nourriture industrielle et du prêt-à-manger son ordinaire, se croyant protégé par les avancées du progrès en matière d'alimentation. Mais il faut bien le reconnaître, les aliments que nous trouvons en plus grand nombre dans les épiceries et qui prennent de plus en plus d'espace sur leurs tablettes sont ceux qui ont le moins de nutriments à nous offrir. La plupart des produits industrialisés que nous consommons sont certes enrichis de vitamines, mais ils sont aussi bourrés de sucres, de sel, de matières grasses, de colorants et d'additifs, toutes substances nocives pour le maintien de notre santé et la qualité de notre bien-être. En croyant profiter de ce que le progrès avait de meilleur à offrir, nous nous sommes éloignés de ce que la nature avait de plus précieux à nous proposer pour demeurer en santé.

Or, beaucoup de spécialistes en nutrition constatent qu'il faut revenir à l'essentiel en consommant des produits frais, autant pour nous protéger des maladies que pour nous en soulager. D'excellents livres ont été publiés sur le sujet, expliquant avec précision les expériences et les cures auxquelles se sont soumises des personnes atteintes de diverses affections et qui ont pu recouvrer la santé de façon quasi miraculeuse.

Sans bien sûr ignorer ces découvertes, le présent livre vise un tout autre objectif, celui de faire connaître les vertus de ces aliments guérisseurs, non pas en citant les études menées par les chercheurs mais en précisant les différents rôles que peuvent jouer les médicaments naturels dans la cuisine, afin que nous puissions les intégrer à nos menus de tous les jours.

La première partie de cet ouvrage comprend un répertoire où se trouvent réunis les principaux groupes d'aliments dont les bienfaits sont exposés. Elle comprend des notions essentielles sur les vertus des 86 aliments retenus, ainsi que des indications sur leurs usages thérapeutiques et leurs pouvoirs curatifs. Chacune des rubriques apporte sa part de connaissances sur les qualités des produits et fournit des renseignements pratiques sur la manière de les choisir, de les conserver, ainsi que des suggestions pour les apprêter.

La deuxième partie de l'ouvrage s'adresse à tous ceux – gourmands ou gourmets – qui voudront tirer profit de ces aliments miracles. Elle contient des recettes spécialement conçues pour profiter au maximum de leurs extraordinaires vertus. Les aliments qui entrent dans leur composition ont été choisis d'abord et avant tout pour leurs propriétés thérapeutiques. Cela ne veut pas dire qu'ils n'ont pas d'effets préventifs. Au contraire, les études récentes, qu'elles soient européennes ou américaines, ont montré que la plupart des aliments ayant des vertus curatives pouvaient également protéger contre les maladies. Ce livre s'adresse donc autant aux personnes en bonne santé qui désirent le rester qu'à celles qui sont atteintes d'une maladie contre laquelle elles ont entrepris de lutter.

Puissent les unes et les autres y redécouvrir les plaisirs de se bien nourrir tout en prenant soin de leur santé !

Première partie

Une pharmacie dans le garde-manger

Si vous éprouvez des problèmes de santé, peu importe de quel mal vous souffrez, votre médecin vous a peut-être recommandé de mieux vous alimenter. S'il ne vous a pas parlé de votre régime alimentaire, il aurait dû le faire. Pourquoi ? Parce que, en bon disciple d'Hippocrate, votre médecin ne saurait ignorer qu'une saine alimentation, en plus d'avoir des effets extrêmement bénéfiques sur votre santé, peut contribuer à guérir plusieurs types d'affections. De tout temps, les hommes ont eu recours à certains aliments pour se soulager de leurs maux. Et ce sont bien souvent les mêmes que les chercheurs redécouvrent aujourd'hui et reconnaissent comme des médicaments extraordinaires qui peuvent lutter contre le cancer, les maladies cardiovasculaires et plusieurs affections qui compromettent notre qualité de vie. Voici quels sont ces principaux groupes d'aliments miraculeux.

La nature dans votre assiette

Faut-il s'étonner que les fruits et les légumes viennent en tête de la liste des aliments guérisseurs ? Si l'on en croit la légende, les fruits furent mis à la disposition de nos premiers parents au tout début de la Création. Que ceux-ci aient eu à subir un châtiment dont nous souffririons tous encore aujourd'hui devrait-il nous porter à conclure que les fruits – plus spécialement les pommes – ne devraient pas être consommés par les êtres humains ? Bien sûr que non, c'est tout le contraire, et nous le savons. D'ailleurs, s'il faut en croire l'histoire, c'est précisément pour tenter de s'approprier des qualités divines qu'Adam et Ève cueillirent le fruit auquel il leur avait été interdit de goûter. En cela, ils n'avaient pas tout à fait tort.

Tous les **fruits** sans exception possèdent des vertus essentielles à notre équilibre alimentaire. Ils sont riches en vitamines, en minéraux, en fibres et en nutriments énergétiques, substances toutes indispensables au bon fonctionnement de l'organisme et au maintien de la santé. Les fruits contiennent généralement plus de sucre que les légumes, mais ce sucre, le fructose, élève les niveaux de sucre dans le sang plus lentement que le sucrose que contiennent le sucre de table et les hydrates de carbone raffinés comme la farine blanche. Les fruits peuvent donc aider à stabiliser les niveaux d'énergie, tandis que le sucre raffiné, lui, les fait fluctuer sensiblement. Bon nombre de fruits ont fait l'objet d'études apportant la preuve qu'ils pouvaient prévenir le cancer et qu'ils jouissaient d'effets antibactériens, anti-inflammatoires ou antiviraux. Le présent livre tient compte de ces conclusions positives sans toutefois en préciser les détails, car il se veut avant tout un ouvrage pratique, un guide pour les personnes désireuses de préserver leur santé grâce à une alimentation équilibrée. Naturellement, si vous n'êtes atteint d'aucune maladie, vous auriez tort de ne pas tirer profit de tous les avantages que comportent les fruits. Un régime alimentaire plus équilibré et plus sain jouera pour vous un rôle préventif et vous aidera à conserver tous vos acquis en matière de bonne forme physique.

Les **légumes** tiennent une place encore plus importante que celle des fruits dans un régime alimentaire de qualité. Mais parce que nous avons souvent pris l'habitude de les bouder, un pas encore plus grand reste à franchir pour les intégrer quotidiennement et en quantité suffisante à nos menus. Une bonne façon de le faire est de les consommer crus en entrée, en les combinant avec les fruits que nous aimons. Ceux-ci, grâce au sucre qu'ils contiennent, stimulent notre appétit et nous permettent de découvrir et d'expérimenter leur étonnante polyvalence. Aucun fruit ou légume n'est parfait en soi et seule leur association dans la diversité peut assurer leur efficacité.

Si vous vous méfiez d'une salade verte contenant des fraises ou des clémentines ou que vous êtes tenté de repousser une entrée composée de betteraves crues et de carottes, vous tournez le dos à la chance d'explorer un univers de saveurs étonnantes. Cette exploration des goûts et des saveurs peut vous conduire à diversifier vos menus et à y introduire des aliments dont vous méconnaissiez les vertus. Les recettes contenues dans ce livre ont été conçues dans le but de vous aider à abandonner vos préjugés sur la prétendue fadeur des légumes et sur le peu d'intérêt gustatif qu'ils ont la réputation d'offrir. Car s'il est incontestable que les légumes sont des médicaments naturels et des sources inestimables de prévention contre bien des maladies et affections, il ne faut pas oublier qu'ils peuvent en peu de temps se transformer en des mets savoureux dignes de figurer aux menus des plus fines bouches.

Outre les fruits et les légumes, les **céréales** sont à inclure dans notre régime alimentaire. Pas seulement sous forme de pain et de gâteaux, bien sûr, et pas uniquement en tant que céréales pour le petit-déjeuner, forme sous laquelle elles se retrouvent sur les tablettes des marchés d'alimentation, considérablement transformées, bien souvent privées de leurs qualités curatives et additionnées de sucre et d'agents de conservation. Il est possible de composer soi-même des mélanges de céréales qui auront conservé la totalité de leurs propriétés et qui ont l'avantage de combiner plusieurs variétés de grains, tels l'avoine, le maïs et l'épeautre. Mais il est possible aussi – et souhaitable – de cuisiner le millet et l'orge pour accompagner des mets aussi facilement que nous le faisons avec le riz ou le couscous.

Parmi les autres groupes d'aliments qui font partie des médicaments du garde-manger, notons les **algues** et le **poisson**, plus particulièrement les poissons gras comme le thon, le saumon, le hareng, le maquereau et la sardine. Ajoutons à cette liste le **thé**, les **légumineuses**, le **tofu** et le **yogourt**, et nous avons tout ce qu'il faut pour vivre en santé jusqu'à 125 ans.

Si la viande est exclue de la table des matières de cet ouvrage, c'est qu'elle l'est aussi de la liste des aliments guérisseurs. Cela ne veut pas dire qu'elle doive être écartée d'une saine alimentation. La viande contient des protéines dont nous avons besoin et tous les acides aminés essentiels à notre survie. Elle est une bonne source de minéraux, d'oligo-éléments et de vitamines, notamment la vitamine B_{12} qui participe à la constitution des globules rouges. Mais il faut convenir que sa surconsommation, surtout en Amérique du Nord, conduit bien souvent à des problèmes de santé et à nombre de décès prématurés. Il semble utile de préciser qu'une portion quotidienne de viande est suffisante pour couvrir une bonne partie de nos besoins en protéines. Et qu'une combinaison d'aliments incluant du poisson, des légumineuses, des oléagineux et plusieurs produits à base de soja peut la remplacer avantageusement.

En somme, la règle la plus élémentaire à observer si nous voulons adopter une alimentation réparatrice est d'augmenter notre consommation de fruits et de légumes en les variant le plus possible dans un même repas, de réduire notre consommation de viande, de gras, de sucre et de produits transformés. Cela ne veut pas dire d'abandonner toutes nos mauvaises habitudes alimentaires en un jour, cela signifie simplement qu'il faut en adopter de nouvelles en réapprenant progressivement à nous nourrir sainement. Comment ? En connaissant mieux les aliments qui sont à notre portée, en les intégrant à nos menus, en les cuisinant avec goût et imagination.

Quels sont ces aliments guérisseurs ? Quelles sont leurs vertus ? Ont-ils des effets secondaires et, si c'est le cas, comment pouvons-nous les éviter sans nous priver de leurs propriétés bénéfiques ?

Comment pouvons-nous intégrer ces aliments miracles dans nos menus quotidiens ? Quelles sont les combinaisons pouvant favoriser leurs pouvoirs curatifs ? Comment les conserver pour mieux nous en régaler ? C'est ce que nous vous invitons à découvrir en consultant le répertoire des aliments guérisseurs que nous avons conçu pour vous. Si vous pensez bien connaître tous ces aliments, lisez tout de même ces pages avant de passer à la section des recettes. Parions que vous y apprendrez beaucoup sur la nature de ces précieuses richesses naturelles considérées à juste titre comme indispensables au maintien de notre santé.

Les 86 aliments santé

Abricot

Ce fruit savoureux et très nutritif se digère facilement lorsqu'il est consommé bien mûr. Il contient du carotène, qui lui donne sa belle couleur orangée. Le bêta-carotène, cette substance présente dans de nombreux végétaux alimentaires, a des propriétés antioxydantes et immunostimulantes. En raison de cette forte concentration, l'abricot a des effets bénéfiques sur des patients atteints de cancer, notamment le cancer de la peau ou du poumon. L'abricot contient également beaucoup de potassium, ce qui en fait un antianémique réputé qui, administré en cure, s'est révélé aussi efficace que le foie de veau.

Bénéfices santé

- Aide à prévenir les cancers du poumon, du pancréas, de la peau
- Apéritif et rafraîchissant
- Combat l'anémie
- Prévient la diarrhée
- Soigne les états dépressifs et l'insomnie

Traitement maison

Si vous êtes sujet à l'anémie, mangez tous les jours quatre lamelles d'abricot sec tous les matins avant votre petit-déjeuner.

Précautions

Les personnes allergiques à l'aspirine devraient s'abstenir de consommer ce fruit.

L'amande que contient le noyau de l'abricot peut provoquer de graves malaises et, si elle est consommée en grandes quantités, peut causer des intoxications.

Achat et conservation

Choisissez un fruit d'un bel orangé doré. Un abricot qui contient des tons de rouge est généralement plus sucré. Il se conserve, comme la plupart des fruits, à la température de la pièce jusqu'à ce qu'il ait atteint sa pleine maturité. Le garder au frigo dès qu'il est mûr.

Dans la cuisine

Pour faire cuire les abricots secs, faites-les d'abord tremper dans l'eau ou dans un jus de fruits (orange ou pomme) jusqu'à ce qu'il soient tendres. Vous pouvez les ajouter à vos ragoûts de viande avec des fruits séchés, comme des raisins, des figues et des noix ou avec d'autres fruits secs de votre choix que vous aurez laissés mijoter durant une vingtaine de minutes.

Recette

- Compote d'abricots, de figues et de clémentines (p. 135)

Trucs beauté

Un masque naturel

En application externe, l'abricot s'avère un excellent tonifiant pour le visage. Pour obtenir un effet adoucissant, battez la chair d'un abricot avec une cuillerée à thé de lait à laquelle vous ajouterez ensuite une cuillerée à thé de jus de citron. Gardez ce masque une quinzaine de minutes avant de vous rincer le visage à l'eau tiède.

Bon à savoir

L'abricot frais est moins calorique que l'abricot sec. Toutefois, l'abricot sec contient beaucoup plus de bêta-carotène que le fruit mûr.

Ail

Depuis la plus haute Antiquité, ce petit bulbe au parfum unique que l'on a jadis surnommé le roi des végétaux a fait profiter de ses vertus curatives toutes les populations du globe. Et si c'est avant tout la tradition populaire qui lui a acquis ses lettres de noblesse, les médecins et les chercheurs ont enfin reconnu le bien-fondé de sa réputation et le considèrent aujourd'hui comme un des aliments les plus thérapeutiques qui soit. Consommé cru, il est un antiviral efficace. C'est aussi un antioxydant qui contient des substances chimiques capables de prévenir plusieurs formes de cancer. L'ail stimule le système immunitaire, soigne les bronchites chroniques et exerce des effets expectorants.

Bénéfices santé

- Antiseptique
- Apéritif et stomachique
- Hypotenseur et ralentisseur de pouls
- Protège contre le cancer
- Prévient l'arthrite et soulage de ses douleurs
- Possède un effet tonique et stimulant
- Vermifuge

Bon usage

On recommande de manger deux gousses d'ail cru par jour. Pour ne rien perdre de ses propriétés antibactériennes, il faut piler l'ail cru dans un mortier, l'écraser avec la lame d'un couteau ou l'émincer finement. On peut ainsi l'ajouter à une salade et utiliser du jus de citron fraîchement pressé au lieu du vinaigre. Le fait d'écraser l'ail et d'y ajouter du jus de citron libère l'ajoène, une substance anticoagulante efficace.

Précautions

On ne devrait pas consommer d'ail en poudre si on veut profiter de ses bienfaits. L'ail que l'on vend en capsules ou en comprimés contient très peu des substances actives qui ont fait la réputation de l'ail frais.

Consommé en grandes quantités, l'ail cru peut irriter les estomacs sensibles et causer des brûlures gastriques. L'ail est également déconseillé aux personnes atteintes de dermatose, de dartre, d'irritations intestinales, et aux femmes qui allaitent.

L'ail ne devrait pas être consommé avec des aliments sucrés ou avec du lait. Il fait également un mauvais mariage avec l'huile chauffée, les fritures et les féculents.

Si vous désirez profiter des vertus de l'ail cru, entreprenez votre régime santé en douceur, allez-y progressivement et mastiquez bien les aliments.

L'ail cuit perd ses propriétés antivirales, mais conserve plusieurs de ses bienfaits. Il est donc profitable d'en consommer tous les jours, cuit ou cru. L'ail est du reste un ingrédient précieux dans la cuisine, où il rehausse la saveur d'une multitude de mets.

On attribue les difficultés de digestion qu'entraîne l'ail à son germe. On conseille donc de retirer le germe vert au centre de la gousse avant de la consommer.

Achat et conservation

Il existe environ 300 variétés d'ail. L'ail commun blanc est celui auquel on reconnaît le plus de propriétés, tant curatives que culinaires. Choisissez des têtes fermes, bien charnues et dépourvues de germes. Un bulbe friable et sec n'est pas frais. Conservez l'ail dans un endroit sec et frais, à l'abri de la lumière. Dans un contenant bien aéré, il se conserve plusieurs semaines.

Dans la cuisine

L'ail est un des ingrédients vedette de la cuisine méditerranéenne. Les gourmets et les gastronomes du monde entier le vénèrent pour la saveur et le parfum qu'il confère aux plats cuisinés. À part les desserts, on peut l'ajouter à presque tous les mets et il s'accommode de toutes les cuissons.

Recettes

- Aïoli (p. 223)
- Artichauts à l'ail et au citron (cuisson au micro-ondes) (p. 149)
- Champignons farcis (p. 152)
- Crème d'ail aux légumes (p. 166)
- Épinards et tomates gratinés (p. 152)
- Harissa (sauce aux piments) (p. 223)
- Pâtes courtes à l'anchoïade (p. 202)
- Sauce aux tomates fraîches (cuisson au micro-ondes) (p. 226)

Mariage parfait

Associer chou cru et ail frais, c'est préparer un cocktail d'ingrédients protecteurs. Les substances riches en soufre que contiennent l'ail et le chou contribuent à la prévention de plusieurs formes de cancer.

Trucs

Une haleine ail, ail, ail!

L'ail ne parfume pas que les aliments. Le meilleur moyen de se prémunir contre l'haleine d'ail est de mâcher quelques tiges de persil après le repas, ou encore des feuilles de menthe fraîches, avant de se rincer la bouche avec de l'eau citronnée. Essayez aussi de mastiquer des graines de fenouil. Si l'odeur persiste, consolez-vous en vous disant qu'une sympathique solidarité unit les amateurs d'ail: si vous êtes plusieurs autour de la table à profiter de ses vertus, vous ne serez pas ennuyé par l'haleine des autres convives.

Un parfum tenace

Pour chasser l'odeur de l'ail sur les doigts, il suffit de les passer sous le robinet d'eau froide en les frottant sur la lame d'un couteau en acier inoxydable.

Bon à savoir

L'American National Cancer Institute a placé l'ail en première place sur la liste des aliments anticancérigènes.

Algues marines

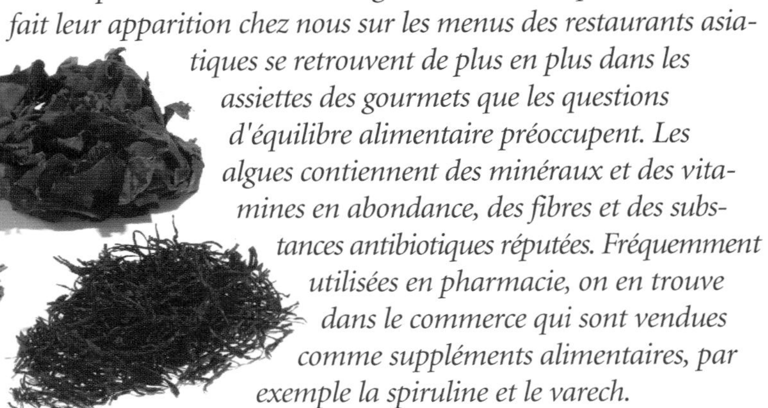

Consommés depuis des siècles par les Orientaux, ces légumes de la mer qui ont d'abord fait leur apparition chez nous sur les menus des restaurants asiatiques se retrouvent de plus en plus dans les assiettes des gourmets que les questions d'équilibre alimentaire préoccupent. Les algues contiennent des minéraux et des vitamines en abondance, des fibres et des substances antibiotiques réputées. Fréquemment utilisées en pharmacie, on en trouve dans le commerce qui sont vendues comme suppléments alimentaires, par exemple la spiruline et le varech.

Bénéfices santé

- Antirhumatismales et anti-infectieuses
- Hypocholestérolémiantes et hypoglycémiantes
- Ralentissent la croissance des tumeurs
- Toniques et antianémiques

Bon usage

Émiettez-les dans vos bouillons non salés – elles contiennent déjà beaucoup de sel – , elles constituent un apport précieux de vitamines et de minéraux.

Précautions

Un excès d'algues peut entraîner des problèmes cutanés, des surcharges de minéraux et des dérèglements de la glande thyroïde.

Ne les rincez ni trop abondamment ni longtemps avant de les utiliser, leurs propriétés bénéfiques risqueraient de se dissiper.

Achat et conservation

Les algues que l'on peut se procurer dans les magasins d'aliments naturels se vendent séchées et se conservent aisément dans des contenants hermétiques.

Dans la cuisine

Le wakamé, semblable à une grande feuille dentelée, entre dans la composition de potages, de sauces et de salades, et accompagne le riz et le tofu. Le haricot de mer, fin, allongé et vert, s'harmonise bien avec le poisson. Une autre algue, rouge celle-là, est appelée dulse ou petit goémon.

Recettes

- Carotte et panais aux petits goémons (p. 151)
- Soupe à l'oignon aux petits goémons (p. 172)

Astuces culinaires

Afin de conserver leurs éléments nutritifs, il est préférable de consommer les algues sous forme de potages, les nutriments se libérant dans le bouillon.

Le moyen les plus commode pour intégrer des végétaux marins à son alimentation est d'en saupoudrer les mets, par exemple des entrées de légumes crus, des potages, des plats en sauce.

Bon à savoir

Selon des études récentes, les algues contiendraient plus de protéines que le soja.

Ananas

Son écorce épaisse et rugueuse ne devrait pas nous rebuter – saviez-vous que Louis XIV faillit s'y casser les dents ? – et nous empêcher de le consommer frais, sa chair juteuse et sucrée est un pur délice. Il contient de la vitamine C, du bêta-carotène, du potassium, du manganèse, un minéral aux propriétés encore méconnues, et renferme de la broméline, une enzyme pouvant décomposer les protéines, favoriser la digestion et soulager des douleurs arthritiques. L'ananas permet en outre de réduire les brûlures d'estomac qui résultent souvent de mauvaises habitudes alimentaires comme manger trop vite et mastiquer trop peu.

Bénéfices santé

- Antiseptique et anti-inflammatoire
- Antioxydant ayant une action protectrice contre le cancer et l'athérosclérose
- Combat la cellulite
- Diurétique
- Facilite la digestion et nettoie le système digestif
- Soigne les maux de gorge et les symptômes du rhume
- Soulage des brûlures d'estomac

Traitements maison

On conseille aux personnes ayant l'estomac fragile de consommer quotidiennement deux tranches d'ananas frais au petit-déjeuner ou avant les repas. Le même traitement est conseillé aux personnes souffrant de douleurs rhumatismales. Le jus d'ananas en conserve, parce qu'il permet d'obtenir une appréciable quantité de vitamine C, est particulièrement recommandé aux personnes sujettes aux rhumes.

Pour soulager rapidement la douleur causée par une irritation de la gorge, gargarisez-vous avec du jus d'ananas glacé.

Précautions

La broméline que contient le fruit est détruite par la mise en conserve. Pour soigner l'indigestion, il est donc recommandé de consommer le fruit frais.

Achat et conservation

L'ananas étant un des rares fruits à cesser de mûrir quand il est cueilli, il faut choisir un fruit mûr, donc lourd, très parfumé à la base et dont les feuilles sont bien vertes. Évitez d'acheter un fruit décoloré à la pelure molle. Lorsque les feuilles d'un ananas ne résistent pas quand on essaie de les détacher, c'est généralement parce qu'il a atteint sa pleine maturité.

Une fois débarrassé de son écorce, l'ananas se conserve quelques jours au réfrigérateur. Il se vend pelé dans certaines fruiteries et magasins d'alimentation.

Dans la cuisine

Servi en tranches, consommé tel quel ou combiné à du yogourt, il constitue un dessert simple et rafraîchissant. Il compose des salades succulentes lorsqu'on l'associe à des légumes comme l'avocat et l'épinard.

Recettes

- Ananas guacamole (p. 149)
- Trempette au yogourt, au cari et à l'ananas (p. 226)

Mariage parfait

Associer brocolis, poivrons et ananas dans un sauté comme le font les Asiatiques donne aux légumes l'occasion de fournir de la vitamine C et du bêta-carotène, tandis que l'ananas apporte son complément en glucides.

Astuce culinaire

Pour permettre au fruit de développer son sucre au maximum, posez-le à l'envers durant une bonne douzaine d'heures avant d'en enlever l'écorce.

Trucs beauté

Une peau plus claire

Utilisé en application externe, le jus constitue un excellent tonique pour les peaux normales.

Antiverrues

Frottez la verrue à l'aide d'un morceau d'ananas frais pendant une minute et poursuivez chaque jour, matin et soir, jusqu'à disparition complète.

Bon à savoir

En raison de la broméline qu'il contient, un agent qui a pour effet de décomposer les protéines, l'ananas constitue une excellente marinade pour attendrir les viandes et les volailles avant de les faire griller. Notez que 100 g d'ananas contient 100 mg de broméline.

Artichaut

Ce chardon comestible qui eut jadis la réputation d'accroître la libido est aujourd'hui reconnu pour faciliter la digestion et réduire le sucre dans le sang. Il contient peu de matières grasses et est une bonne source de fibres, mais il est plus riche en sodium que la plupart des fruits et des légumes. Il contient par ailleurs de l'acide folique, un nutriment particulièrement utile aux femmes enceintes, ainsi que du magnésium et du potassium.

Bénéfices santé

- Favorise l'élimination de l'urée et de l'excédent de cholestérol
- Soulage des problèmes de digestion
- Traite le syndrome du côlon irritable

Bon usage

L'eau de cuisson des artichauts constitue une base liquide idéale pour la confection d'un potage de légumes.

Précautions

L'extrait de feuilles d'artichaut est déconseillé en cas d'obstruction des voies biliaires. Dans ce cas, une stimulation de la production de bile pourrait provoquer de graves problèmes. L'eau de cuisson des artichauts est déconseillée aux goutteux, aux arthritiques et aux personnes souffrant d'une infection urinaire à cause de sa forte concentration en sels minéraux.

Achat et conservation

Choisissez un artichaut compact et lourd, bien ferme, dont les feuilles fermées et propres sont d'une belle couleur olive. Plus l'artichaut est jeune, plus délectable est sa chair. Dans un sac en plastique, l'artichaut se conserve au réfrigérateur environ une semaine.

Dans la cuisine

Il est toujours bon d'avoir à portée de la main des cœurs d'artichaut en conserve. Ils font des entrées santé délicieuses qui se préparent rapidement, et ils agrémentent les plats de crudités et les salades. Si on préfère les servir entiers, il cuisent plus rapidement au micro-ondes (voir recette, p. 149).

Recettes

- Artichauts à l'ail et au citron (cuisson au micro-ondes) (p. 149)
- Salade de cœurs d'artichaut aux pommes et à l'avocat (p. 216)

Astuce culinaire

Pour empêcher l'artichaut de se décolorer, on doit le couper avec un couteau ou des ciseaux en acier inoxydable et ajouter du jus de citron à l'eau de cuisson.

Bon à savoir

Pour manger un artichaut, il faut détacher ses feuilles une à une en commençant par le pourtour et les suçoter les unes après les autres. Plus on approche du cœur de l'artichaut, plus les feuilles sont charnues et savoureuses. Le cœur est le morceau de choix. Pour le déguster, il faut retirer le foin qui le recouvre.

Asperge

L'asperge, un des premiers légumes à sortir de terre au printemps, est indéniablement un délice de gourmet. Peu d'aliments aussi faibles en calories sont aussi nutritifs que l'asperge. Elle contient, entre autres substances bénéfiques, du carotène, des vitamines C et E, et une vitamine du groupe B, le folate, nécessaire à la reproduction et à la multiplication cellulaire ainsi qu'à la formation des globules rouges. Elle a en outre fait ses preuves comme protection contre les maladies cardiovasculaires.

Bénéfices santé

- Abaisse le taux de cholestérol
- Dépurative et diurétique
- Protège contre le cancer
- Protège des maladies cardiovasculaires
- Reminéralisante

Bon usage

Riche en folate, l'asperge est particulièrement recommandée aux femmes en âge de procréer et aux femmes enceintes.

Précautions

L'asperge est déconseillée aux personnes souffrant de goutte, de rhumatismes ou de cystite.

Achat et conservation

Choisissez des légumes bien verts aux extrémités lisses, fermes et pointues, d'une couleur tirant sur le pourpre. On peut congeler les asperges après les avoir fait blanchir. Emballées serrées dans du papier d'alu et rangées dans un contenant hermétique, elles se conserveront jusqu'à 12 mois au congélateur.

Dans la cuisine

Servies en entrée ou en accompagnement, elles seront succulentes avec un peu de beurre citron ou une vinaigrette. Elles sont délicieuses froides avec un aïoli ou dans une omelette. Pour les faire cuire, les déposer dans un poêlon, les recouvrir d'eau froide, porter à ébullition et laisser mijoter de 3 à 5 min. Consommez-les immédiatement ou rincez-les à l'eau froide si vous désirez les déguster plus tard.

Recette

- Asperges à la sauce au cari et à l'orange (p. 150)

Astuce culinaire

Il est préférable de casser les tiges plutôt que de les couper, mais on peut aussi en peler les extrémités pour les attendrir. Une cuisson à l'étuvée convient à merveille aux asperges.

Commencez par les plus grosses tiges et ajoutez les plus petites qui requièrent moins de temps de cuisson. On peut aussi les faire cuire au poêlon, comme indiqué plus haut, ou debout, entourées d'une bande élastique, en maintenant les tiges hors de l'eau de la casserole, ce qui permet une cuisson plus égale.

Bon à savoir

L'odeur caractéristique que prend l'urine après que l'on a consommé des asperges est causée par une substance, le méthyl-mercaptan, qui est sans danger pour la santé.

Aubergine

Ce beau légume à la forme opulente et à la couleur riche est tout à fait digeste et contient très peu de calories. Il est également faible en protéines, en glucides et en lipides, mais suffisamment pourvu en potassium pour activer ses propriétés diurétiques. Selon des chercheurs en alimentation, après un repas riche en gras, l'aubergine préviendrait l'augmentation des lipides et du cholestérol dans le sang.

Bénéfices santé

- Antianémique
- Antirhumatismale
- Prévient le cancer chez l'animal
- Réduit le taux de cholestérol
- Stimule le foie et le pancréas

Bon usage

On recommande de manger une fois la semaine ce légume qui réduit le taux de mauvais cholestérol.

Précautions

Si l'aubergine contient très peu de calories, elle absorbe en revanche une grande quantité de gras au cours de sa cuisson. Il est donc préférable de la consommer crue dans les hors-d'œuvre ou cuite à l'étuvée dans des sauces et des ragoûts.

Achat et conservation

La peau doit être lisse au toucher, d'une belle couleur violet foncé, tandis que le pédoncule devrait être épineux et d'un vert profond.

L'aubergine se conserve au réfrigérateur plusieurs jours. Sa peau se ratatine au fur et à mesure qu'elle se déshydrate. Une aubergine à la peau plissée est impropre à la consommation. L'aubergine est mûre quand une légère empreinte des doigts reste marquée à sa surface.

Recettes

- Spaghettis à l'aubergine et aux shiitakes (p. 207)
- Chili à l'aubergine (p. 197)
- Ratatouille niçoise (p. 155)

Dans la cuisine

Plusieurs pays en ont fait de savoureux plats traditionnels: moussaka (Grèce), ratatouille (France), baba ganoush (Liban), aubergine parmigiana (Italie). Elle confère une saveur unique aux sauces tomate comme vous pourrez l'apprécier dans les recettes que nous vous proposons.

Astuce culinaire

Pour enlever l'amertume, coupez l'aubergine en tranches que vous salerez et laisserez dégorger 30 minutes avant de les rincer et de les éponger.

Bon à savoir

Plus l'aubergine est jeune, plus sa chair est tendre et moins elle est amère. Choisissez des aubergines longues, qui contiennent moins de pépins, responsables du goût amer.

Avocat

Fruit de l'avocatier, un arbre qui peut atteindre 15 mètres, l'avocat offre d'étonnantes vertus curatives. Il contient des gras monoinsaturés qui lui permettent d'abaisser le taux de cholestérol sanguin. Il ne faut pas se fier à son apparence revêche – on l'appelait jadis poire alligator –, car la chair de l'avocat est fine et délectable, et redonne à la peau jeunesse et beauté grâce à son apport en vitamine E. Il contient en outre du glutathion, un antioxydant qui peut ralentir le développement du VIH, ainsi que de l'acide folique, du potassium et une bonne quantité de fibres.

Bénéfices santé

- Abaisse la tension artérielle
- Réduit le taux de cholestérol
- Lutte contre le VIH
- Prévient le vieillissement cellulaire
- Soulage de la constipation

Traitement maison

Réduit en purée et mélangé à du jus de citron, il agit efficacement contre la constipation.

Précautions

L'huile que contient l'avocat semble incompatible avec la warfarine, un médicament conçu pour prévenir la coagulation du sang. Les personnes qui surveillent leur poids devraient le consommer avec modération et éviter d'y ajouter des aliments riches.

Achat et conservation

L'avocat mûrit après qu'on l'a cueilli sur l'arbre et ne se conserve que quelques jours, à la température de la pièce. Dès qu'il est mûr, que sa chair cède sous la pression du doigt, il est prêt à consommer. Pour le conserver un peu plus longtemps, placez l'avocat mûr au réfrigérateur.

Dans la cuisine

Sa saveur très fine en fait une entrée délectable. Il se consomme cru le plus souvent, car il devient amer à la cuisson. On le sert en entrée, réduit en purée dans un potage froid ou pour une trempette, garni de saumon, de crabe ou de crevettes, ou encore découpé en cubes dans des salades et combiné à des fruits.

Pour l'empêcher de noircir lorsqu'il est coupé en deux, conservez la partie avec le noyau, arrosez-la de jus de citron ou de lime et conservez-la au froid, dans un papier d'alu.

Astuces culinaires

Pour accélérer le mûrissement de l'avocat, placez-le dans un sac en papier brun.

Recettes

- Ananas guacamole (p. 149)
- Trempette d'avocat au citron et aux anchois (p. 160)
- Salade de cœurs d'artichaut aux pommes et à l'avocat (p. 216)
- Salade de fraises, de cantaloup et d'avocat (p. 157)

Truc beauté

L'huile d'avocat lisse et adoucit la peau.

Avoine

L'avoine est la céréale qui a connu la plus grande popularité au cours des dernières années, ayant réussi à abaisser le taux de cholestérol d'un groupe de personnes de manière tout à fait spectaculaire. C'est sa forte concentration en fibres, et plus particulièrement la présence d'une fibre gélatineuse, la matière qui colle à la casserole de gruau du matin, qui est à la source de ses bienfaits. Contrairement à d'autres céréales, après qu'on l'a traitée, l'avoine conserve le son et le germe dans lesquels se retrouvent la majeure partie de ses éléments nutritifs.

Bénéfices santé

- Abaisse le taux de mauvais cholestérol (LDL)
- Contribue à la maîtrise du poids
- Diminue le risque de maladies cardiovasculaires
- Élève le taux de bon cholestérol (HDL)
- Énergétique
- Favorise la croissance
- Rafraîchissante et diurétique
- Réduit l'insuline
- Traite les maladies de peau

Bon usage

Un bol de son d'avoine de 75 g par jour devrait abaisser le cholestérol des personnes dont le taux de LDL est particulièrement élevé.

Précautions

On préférera le son d'avoine qui contient plus de fibres que l'avoine entière qui se vend en flocons.

Achat et conservation

Le son d'avoine et les flocons d'avoine se vendent en vrac dans des sacs de plastique et se conservent aisément. Dans un contenant hermétiquement fermé, l'avoine peut se garder jusqu'à un an au réfrigérateur.

Dans la cuisine

Le gruau cuit dans le jus ou dans le lait fait un excellent petit-déjeuner, mais on peut ajouter le son d'avoine à des potages ainsi qu'à des boulettes et à des pains de viande, ce qui permet de réduire la consommation de viande.

Recettes

- Muffins au son et aux figues (p. 141)
- Müesli maison (p. 143)

Truc beauté

Un lait pour peau délicate

Dans une petite casserole, portez à ébullition un verre d'eau. Ajoutez 1 c. à soupe de flocons d'avoine et laissez cuire 10 minutes à petit feu. Laissez refroidir et filtrez. Ajoutez 2 c. à café d'huile de germe de blé et 4 c. à soupe de fromage blanc. Appliquez ce lait matin et soir comme un démaquillant. Dans un flacon en verre teinté, il se conservera durant 5 jours.

Bon à savoir

Les flocons d'avoine instantanés, bien qu'ils contiennent plus de sodium, procurent autant de vitamines et de minéraux que les flocons requérant une cuisson plus longue.

Banane

Son appellation latine musa sapientum, *qui signifie «fruit des sages», lui a acquis la réputation de faire autant de bien aux nourrissons qu'aux personnes âgées. Elle est une excellente source de potassium et de vitamine C, et est facile à digérer. Fruit très calorique, la banane est très appréciée des sportifs et possède d'ailleurs les glucides les plus efficaces pour développer la masse musculaire. Sa forte concentration de fibres solubles contribue à abaisser le taux de cholestérol.*

Bénéfices santé

- Enraye la diarrhée
- Favorise la croissance et le système osseux
- Nutritive et digeste
- Protège l'équilibre nerveux
- Réduit l'hypertension

Traitement maison

Aux personnes qui ont un estomac sensible et de fréquentes indigestions, on recommande de manger une banane par jour.

Précautions

Contrairement au plantain, cette banane des Antilles qui doit être cuite (voir p. 27), la banane doit être consommée très mûre à défaut de quoi ses propriétés digestives et curatives ne sont pas à leur meilleur.

Parce qu'elle est riche en glucides, on la déconseille aux diabétiques.

On la déconseille également aux personnes qui désirent perdre du poids.

Achat et conservation

Choisissez des fruits d'un beau jaune vif et sans meurtrissures, qui vont mûrir rapidement.

Dans la cuisine

Elle se consomme nature et, combinée à des céréales, elle constitue un petit-déjeuner savoureux et substantiel. Elle fait une délicieuse collation, on l'ajoute avec bonheur à des salades de fruits, elle est délicieuse servie avec de la crème fraîche.

Recettes

- Bananes à la cannelle et au rhum (p. 233)
- Coupe apéritive aux trois fruits (p. 137)
- Crème *budwig* (p. 137)

Astuces culinaires

Pour arrêter le processus de mûrissement d'une banane, il suffit de la placer au frigo quelques heures. Sa peau deviendra noire, mais elle demeurera bonne pour la consommation à condition de ne pas prolonger son séjour au froid. À l'inverse, pour accélérer le processus de mûrissement, il faut conserver le fruit à la température ambiante et le placer dans un sac en papier.

Les bananes mûres qu'on n'a pas le temps de cuisiner peuvent être congelées dans des sacs en plastique en attendant d'être utilisées.

Bon à savoir

Les taches d'encre sur la peau disparaissent si on les frotte avec la partie interne de la peau d'une banane.

Banane plantain

Elle ressemble à sa cousine par la forme, mais elle est plus grosse et d'une couleur verte tirant sur le noir. Elle est considérée comme un légume et se distingue de la banane que nous connaissons bien par sa chair moins fine et par son contenu : elle est une bonne source de vitamine A, ne contient pas de sucre et renferme davantage de potassium, de magnésium et de fibres solubles. De plus, parce qu'elle est riche en amidon, elle ne se consomme que cuite. Cet amidon se transformant en sucre à mesure qu'elle vieillit, une banane plus jaune sera plus sucrée qu'une banane verte, et une banane noircie encore plus.

Bénéfices santé

- Abaisse le taux de cholestérol
- Soulage des réactions inflammatoires cutanées (piqûres d'insectes, brûlures, etc.)
- Soulage des ulcères, des inflammations des muqueuses de la bouche et du pharynx
- Soulage des hémorroïdes
- Traite les inflammations des voies respiratoires

Bon usage

Il y a un réel bénéfice santé à remplacer les pommes de terre ou les pâtes que l'on sert ordinairement en accompagnement par des bananes plantains, qui s'harmonisent avec autant de saveur à des plats de viande et de poisson.

Précautions

Consommé à hautes doses, le plantain peut avoir des effets laxatifs et hypotenseurs.

Certaines personnes ont des réactions allergiques au plantain.

Achat et conservation

Pour cuire les plantains à la vapeur, choisissez des bananes plus jaunes, qui ont tendance à devenir noires en mûrissant, et prenez-les plus vertes pour les faire frire. Elles se conservent de 7 à 10 jours à la température ambiante.

Dans la cuisine

Il est parfois nécessaire d'utiliser un couteau pour détacher sa chair de la pelure. Elle se cuisine comme les pommes de terre. On peut aussi la cuire au four. Compter environ 1 h à 350 °F (180 °C). Si on veut profiter de toutes ses vertus protectrices, il est préférable de la faire cuire à la vapeur et d'éviter de la faire frire.

Recette

- Plantains au panais et à la coriandre (p. 183)

Astuce culinaire

Pour éviter qu'elle ne s'oxyde avant la cuisson, plongez la banane plantain dans de l'eau acidulée.

Pour la peler, entaillez-la dans le sens de sa longueur et enlevez la peau.

Bon à savoir

Ce sont les fibres du plantain vert dont on extrait la poudre qui ont un effet favorable sur le système cardiovasculaire et combattent efficacement les ulcères.

Betterave

Les feuilles de la betterave rouge sont très nutritives, mais c'est sa racine que l'on consomme le plus couramment. Elle est riche en potassium et en fer, et constitue une bonne source d'acide folique, une vitamine du groupe B qui favorise le développement des globules rouges. Sa belle couleur rouge lui vient de la bétanine, une substance qui colore aussi l'urine parce qu'elle n'est pas métabolisée par le système digestif.

Bénéfices santé

- Combat l'anémie
- Digestible
- Énergétique et nutritive
- Prévient les malformations congénitales
- Protège des maladies cardiovasculaires et de certains cancers
- Soulage de la constipation

Traitement maison

Pour lutter contre la grippe et l'anémie, consommez un petit verre de jus de betterave chaque jour pendant un mois.

Précautions

La betterave est déconseillée aux diabétiques.

Achat et conservation

Il est préférable d'acheter des petites betteraves ou de taille moyenne, qui seront plus faciles à peler après la cuisson.

Dans la cuisine

On recommande de manger la betterave crue pour bénéficier de ses nutriments. Si on préfère la manger cuite, il vaut mieux, pour lui conserver toutes ses qualités, lui garder sa pelure et la cuire, soit en la faisant bouillir, soit en la mettant au four, enrobée dans une chemise en papier d'aluminium.

Recettes

- Muffins au sarrasin, aux pommes et aux betteraves (p. 140)
- Salade de betteraves et de carottes (p. 156)

Astuce culinaire

Les feuilles se servent en salade et se cuisent comme des épinards, dans un peu de beurre clarifié.

Bon à savoir

Les betteraves en conserve ne perdant presque rien de leurs vertus, on peut les consommer toute l'année avec profit.

Blé

Toute personne qui s'intéresse aux bienfaits de la nutrition sur la santé devrait inclure le germe de blé dans son alimentation. Le germe est la partie du grain qui contient l'essence de la plante entière, c'est son centre vital, c'est-à-dire un concentré de ses vitamines et de ses minéraux. Le germe de blé est une importante source d'acide folique, de zinc, de magnésium, de niacine, de phosphore, de fer et de cuivre, et il contient une quantité extraordinaire de vitamine E.

Bénéfices santé

- Améliore la digestion
- Favorise le développement du fœtus
- Prévient les maladies cardiovasculaires
- Réduit les risques de cancer

Bon usage

Les personnes souffrant d'anémie auront avantage à consommer 1 à 3 c. à café de germe de blé ou à en saupoudrer leurs céréales ou leur yogourt du matin durant 15 jours tous les deux ou trois mois.

Précautions

Le blé peut causer des allergies et des problèmes de santé divers. Il est déconseillé aux personnes souffrant d'hypertension.

Achat et conservation

Sentez le germe de blé avant de l'acheter pour vous assurer de sa fraîcheur, il devrait dégager une bonne odeur de grain grillé. Tout comme la chapelure, congelé dans un sac hermétique, il se conserve jusqu'à six mois. Il n'est pas nécessaire de le décongeler avant de l'utiliser.

Dans la cuisine

Saupoudrez-en céréales, yogourt, ragoûts de viande, servez-vous-en pour panner le poulet et le poisson.

Recettes

- Mélange de céréales maison (p. 139)
- Müesli maison (p. 143)

Astuce culinaire

Dans vos recettes de pains de viande ou de boulettes, remplacez la chapelure par un mélange de flocons d'avoine et de germe de blé.

Truc beauté

Crème pour peau sèche et très sèche

Faites fondre au bain-marie 1 oz (20 g) de cire d'abeille dans 3 oz (100 ml) d'huile de germe de blé. Ajoutez 4 gouttes d'huile essentielle de géranium rosat et 1 c. à café de jus de citron. Remuez bien et versez dans un petit pot. Conservez dans un endroit sec et frais, pas plus de trois semaines. Appliquez le soir en guise de crème de nuit.

Bon à savoir

Intégrer le germe de blé à son alimentation quotidienne, c'est absorber une dose substantielle de vitamine E et se prémunir efficacement contre les maladies cardiovasculaires et le cancer.

Bleuet

Les délicieux petits fruits que sont les bleuets, même s'ils ne contiennent pas beaucoup d'éléments nutritifs, constituent un excellent dessert en raison de leur forte concentration en fibres. À l'instar de toutes les baies, ils contiennent aussi de la vitamine C, un antioxydant réputé. Cette même vitamine C est très importante dans la prévention des cataractes et des infections des yeux. Les bleuets sont également reconnus depuis longtemps pour enrayer la diarrhée, car ils contiennent une substance qui détruit les bactéries, particulièrement l'E. Coli, souvent à l'origine de la diarrhée tropicale et d'autres infections intestinales.

Bénéfices santé

- Antidiabétique
- Améliore la vision
- Astringent, antiseptique, antiputride
- Contribue à prévenir le cancer et les maladies dégénératives
- Protège les parois vasculaires
- Soulage de l'insuffisance veineuse
- Soulage de la diarrhée
- Traite les inflammations des muqueuses de la bouche

Traitement maison

Une poignée de bleuets frais ajoutés à vos céréales du matin augmente la puissance de votre système immunitaire et combat efficacement les rhumes et les infections.

Précautions

Les bleuets perdent leurs vertus curatives en cuisant. Il est donc préférable de les consommer frais, ce qui ne devrait pas être trop éprouvant.

Achat et conservation

Procurez-vous des fruits fermes et d'un beau bleu mat. Réfrigérez-les sans les laver ni les couvrir, et consommez-les le plus tôt possible. On peut les congeler une fois lavés et séchés, et les utiliser dans des préparations culinaires.

Dans la cuisine

En guise de collation ou au petit-déjeuner ainsi que dans la composition de desserts, ils sont savoureux. Frais, il suffit de les rincer juste au moment de servir dans de l'eau additionnée d'une cuillerée de vinaigre.

Recettes

- Carrés aux bleuets (p. 233)
- Vinaigre aux bleuets (p. 227)

Truc beauté

Des compresses d'eau de bleuet calment les yeux irrités.

Bon à savoir

Étant donné l'abondance de résidus de pesticides sur les baies et les petits fruits, il est préférable d'acheter des bleuets de culture biologique.

Brocoli

Le brocoli est l'un des légumes les plus riches en vitamine C et contient aussi du bêta-carotène, deux substances qui lui confèrent un pouvoir antioxydant remarquable. Il possède en outre une importante concentration de fibres. De nombreuses études menées aux États-Unis ont montré que les personnes qui consomment régulièrement du brocoli courent moins de risque de souffrir de cancers et de maladies cardiovasculaires.

Bénéfices santé

- Diminue les risques de cancer
- Favorise le transit intestinal
- Protège contre les maladies cardiovasculaires
- Stimule le système immunitaire

Traitement maison

Un bouquet de brocoli croquant consommé cru tous les jours protège efficacement contre les infections tout en éloignant les risques de cancer.

Précautions

On ne connaît aucune contre-indication à cet excellent aliment santé.

Achat et conservation

Les tiges doivent être fermes et vert foncé, et les bouquets petits et compacts, vert foncé ou tirant sur le violet. Évitez les légumes ayant des tiges molles et des bouquets jaunis, ils ne sont pas frais. Le brocoli, emballé dans un sac de plastique perforé, se conserve une semaine au réfrigérateur.

Dans la cuisine

Cuit dans un bouillon avec des courgettes et des oignons, le brocoli compose de délicieux potages. Cuit à la marguerite ou dans la marmite à pression, il accompagne bien les grillades et le poisson, ou compose une savoureuse entrée gratinée. Cru, il donne du croquant aux salades et compose de ravissants bouquets sur un plateau de crudités.

Recette

- Potage au brocoli (p. 167)

Astuce culinaire

Pour le conserver plus longtemps, il suffit de le séparer en bouquets d'égales grosseurs et de le blanchir. Une fois congelé, il se conserve jusqu'à six mois.

Bon à savoir

Le brocoli perd un peu de ses vitamines à la cuisson. Mais, la cuisson au micro-ondes ne lui conserve que de rares bienfaits. En somme, il vaut mieux le manger cru.

Cacao et chocolat

Produit extrait de la fève du cacaoyer, le cacao est originaire d'Amérique Centrale où les Incas s'en servaient avant l'arrivée des Espagnols. Selon des études américaines récentes, le cacao pur, deux fois plus riche en polyphénols qu'un verre de vin rouge et trois fois plus qu'une tasse de thé vert, aurait de remarquables pouvoirs antioxydants. C'est une excellente source de cuivre, de potassium, de vitamine B_{12} et de fer. Il contient des tanins et des flavonoïdes, et une importante quantité de fibres. Les meilleurs bénéfices pour la santé se retrouvent dans le chocolat noir, soit le chocolat amer et le chocolat mi-sucré, lequel contient de la pâte de cacao, du beurre de cacao, du sucre, de la lécithine et de la vanille.

Bénéfices santé

- Agit sur la coagulation sanguine
- Améliore l'élasticité des vaisseaux sanguins
- Augmente le taux de bon cholestérol
- Combat l'hypertension
- Énergétique
- Protège des maladies cardiovasculaires
- Stimule le système digestif

Bon usage

Une tasse de cacao chaud prévient le vieillissement des cellules et protège contre les maladies cardiaques et le cancer. Mais attention de ne pas le consommer avec du lait, préparez-le plutôt avec des boissons de riz ou de soja.

Pour une protection anticancer efficace, les oncologues qui croient aux pouvoirs guérisseurs de l'alimentation recommandent une consommation quotidienne de 20 g de chocolat noir.

Précautions

Oui, le cacao et le chocolat sont bons pour la santé, mais attention au sucre et aux calories. Évitez les friandises chocolatées, préférez-leur le chocolat noir. Encore une fois, la modération s'impose comme la meilleure alliée des personnes en santé.

Le cacao et le chocolat contiennent des excitants, soit de la théobromine et de la caféine, autre motif pour en modérer la consommation.

Le chocolat est déconseillé aux personnes qui souffrent de migraines et de reflux d'acidité.

Achat et conservation

Le chocolat que vous pouvez vous procurer chez un chocolatier est de meilleure qualité que celui que vous proposent les marchés d'alimentation. Renseignez-vous, regardez bien l'étiquette afin de vérifier le pourcentage de cacao qu'il contient. Plus ce pourcentage est élevé, plus ses bénéfices santé sont élevés. Un chocolat de qualité est lisse et se casse d'un coup sec. Évitez les produits grumeleux ou couverts de poudre blanche qui s'émiettent au lieu de se casser. Le chocolat noir se conserve environ un mois au frais. La poudre de cacao, elle, se conserve jusqu'à six mois dans un endroit sec et frais

Dans la cuisine

Le cacao est employé en pâtisserie et c'est l'ingrédient de base du chocolat. Certains peuples le marient avec les volailles et le mouton, et les Mexicains en ont fait un plat réputé avec de la dinde ou du poulet, le *mole poblano*.

Recettes

- Gâteau à la courgette au cacao (p. 237)
- Glace au chocolat sans crème (p. 237)

Mariage imparfait

Il convient ici de signaler un mariage imparfait hélas! très populaire, celui du lait et du cacao. En effet, selon une étude récente, les protéines du lait s'opposeraient aux flavonoïdes du cacao, donc à ses vertus curatives.

Astuce culinaire

Le cacao en poudre est difficile à délayer, il faut le mélanger d'abord avec un liquide froid et l'additionner de sucre avant de l'ajouter à une boisson de soja ou de riz.

Truc santé

Le beurre de cacao contient des vertus apaisantes et prévient les gerçures des mamelons lors de l'allaitement.

Bon à savoir

Le chocolat contient des gras saturés, mais il s'agit d'un gras qui n'est pas néfaste pour la santé et qui exerce même ses bienfaits sur le système cardiovasculaire. Plus le pourcentage de cacao est élevé, moins il contient de sucre. Son goût est alors plus prononcé et plus amer.

Le chocolat blanc ne contient pas de flavonoïdes puisqu'il est fabriqué à partir de beurre de cacao.

Canneberge

La canneberge est une source de fibres et de vitamine C, mais c'est sa forte concentration en acide quinique qui en fait un remède efficace pour traiter la cystite et prévenir la formation de calculs rénaux et biliaires. Elle contient de plus un antibiotique qui, comme le jus de bleuet, renforce la paroi de la vessie et prévient la formation de bactéries.

Bénéfices santé

- Antibiotique et bactéricide
- Prévient les maladies urinaires telle la cystite
- Améliore la vision et protège contre les infections des yeux

Bon usage

Deux petits verres ou environ ½ tasse (125 ml) de jus de canneberge par jour protègent contre les infections urinaires.

Précautions

Les jus en conserve contiennent généralement une bonne quantité de sucre et d'édulcorants. Il vaut mieux préparer le jus soi-même à l'aide d'un extracteur de jus.

Malgré ses effets antibiotiques éprouvés, le jus de canneberge ne saurait remplacer les antibiotiques que prescrit le médecin en cas de cystite ou d'infection urinaire.

Les diabétiques devraient privilégier les comprimés d'extrait de canneberge ou le jus pur, car les cocktails de canneberge renferment du sucre ou du fructose.

Achat et conservation

Choisissez des fruits charnus, fermes, lustrés et d'un beau rouge. Ne lavez les canneberges qu'au moment de les utiliser, elles se conservent ainsi plus longtemps, environ deux mois au frigo.

Dans la cuisine

En raison de leur saveur aigrelette, on préfère les manger cuites que crues. On les utilise ainsi dans des gâteaux, des biscuits ou des muffins. À la cuisson, elles ne nécessitent qu'une petite quantité d'eau. On recommande de les couvrir au cours de la cuisson, car elles se gonflent et éclatent sous l'effet de la chaleur. Délicieuses en chutney, en compote, en confiture ou en gelée.

Recettes

- Coulis de canneberges et de fraises (p. 234)
- Sauce aux canneberges, à l'orange et au gingembre (p. 225)

Astuce culinaire

On peut réduire la quantité de sucre en ajoutant du jus de pomme à un concentré.

Truc beauté

La canneberge s'emploie de plus en plus dans la fabrication des cosmétiques et des produits de beauté. L'application, sur le visage et le cou, d'un mélange d'une petite quantité de jus de canneberge frais et d'une lotion démaquillante éclaircit le teint.

Bon à savoir

Des études récentes effectuées au Canada montrent que l'extrait de canneberge se révèle actif sur certains virus intestinaux.

Cannelle

S'il est vrai que la musique adoucit les mœurs, on peut dire que la cannelle, l'une des plus anciennes épices connues, combat la mauvaise humeur des plus grincheux. Elle contient de l'agénol, une substance analgésique naturelle qui procure un sentiment de bien-être. La cannelle est aussi une source appréciable de fer et de calcium. Elle servait traditionnellement de remède pour soulager des douleurs gastriques et des gaz intestinaux. De plus, on a découvert que la cannelle contribuait à accroître la production d'insuline dans le corps. Des études récentes ont montré qu'elle favorisait aussi un meilleur fonctionnement intestinal.

Bénéfices santé

- Accroît la production d'insuline
- Améliore le fonctionnement des intestins
- Calme la douleur
- Combat les bactéries
- Combat la flatulence
- Soulage des douleurs d'estomac

Bon usage

Il faut peu de cannelle pour profiter de ses capacités d'augmenter le taux d'insuline et bénéficier de ses propriétés digestives. En saupoudrer le pain grillé du petit-déjeuner, c'est le couvrir d'un nuage de bonne humeur.

Précautions

L'huile de cannelle, qu'on utilise pour son odeur stimulante et qui est censée accroître la libido et la vivacité d'esprit, ne doit jamais être consommée et employée comme assaisonnement.

Achat et conservation

On trouve la cannelle en gousse et sous forme de poudre, et, comme toutes les épices, elle se conserve bien dans un endroit sec, à l'abri de la lumière.

Dans la cuisine

La cannelle ne se contente pas d'aromatiser les desserts, elle prête incomparablement sa saveur unique aux boissons chaudes, comme le thé et le cidre chaud. Les Asiatiques et les populations d'Afrique l'utilisent couramment pour parfumer leurs plats de viande et en font bon usage dans leur cuisine.

Recettes

- Cidre chaud à la cannelle (p. 245)
- Bananes à la cannelle et au rhum (p. 233)
- Salade de betteraves et de carottes (p. 156)

Astuce culinaire

Pour faire une infusion à la cannelle, déposez quelques brins d'écorce de cannelle dans une tasse d'eau et laissez infuser environ 10 min.

Bon à savoir

La cannelle est un antiseptique peu coûteux et très efficace pour traiter les infections.

Appliquer un peu de cannelle sur une éraflure ou une coupure légère peut soulager la douleur rapidement.

Carotte

La carotte est une excellente source de bêta-carotène, de potassium et de fibres. Ses vertus sont innombrables, c'est l'un des aliments santé qui contient le plus de propriétés thérapeutiques. Son jus régénérateur est très bénéfique pour le foie.

Bénéfices santé

- Antianémique
- Améliore la vision dans l'obscurité
- Combat les infections bactériennes
- Réduit le cholestérol dans le sang
- Reminéralise et tonifie
- Renforce le système immunitaire
- Soulage de la constipation
- Soulage de la diarrhée

Bon usage

Manger une carotte crue par jour, c'est avaler un médicament naturel bourré de bienfaits. Il a été prouvé que les personnes qui consomment ce légume chaque jour sont moins sujettes à développer une dégénérescence maculaire et des maladies cardiovasculaires.

Précautions

Il est préférable de ne pas peler les carottes pour profiter de leurs bienfaits. Procurez-vous des carottes biologiques, c'est-à-dire qui n'ont pas été traitées, et contentez-vous de les gratter ou de les brosser sous le jet d'eau froide.

Achat et conservation

Les carottes vendues avec leurs feuilles ont encore meilleur goût, mais toutes se conservent plusieurs semaines au réfrigérateur.

Dans la cuisine

La carotte se cuisine d'une multitude de manières. Elle se sert en potage, en entrée et en accompagnement, et entre dans la préparation de savoureux gâteaux, biscuits et muffins. Elle fait également un jus excellent et rempli de vertus. Ses fanes (feuillage) font de bons potages, et on peut les ajouter aux salades et aux sauces.

Recette

- Carotte et panais aux petits goémons (p. 151)

Astuce culinaire

Ajouter 1 c. à s. de citron à l'eau de cuisson redonne de la saveur à des carottes ramollies; le citron les pâlit légèrement mais les empêche de noircir.

Truc beauté

Le jus de carotte appliqué en lotion sur le visage et le cou adoucit la peau et prévient l'apparition des rides.

Bon à savoir

La carotte ne perd pas ses vertus curatives à la cuisson.

La consommation excessive de carottes peut colorer la peau en jaune, mais ce phénomène est sans danger et disparaît rapidement dès qu'on revient à une consommation raisonnable.

Céleri

Ce légumet riche en fibres contient 95 % d'eau. Les vitamines A et C qu'il renferme se retrouvent surtout dans ses feuilles, tout comme le calcium, le fer et le potassium. Sa forte teneur en substances complexes pourrait, selon des recherches récentes, empêcher la croissance de cellules tumorales. Son jus, appliqué directement sur une blessure, favorise la cicatrisation. Peu calorique, il est recommandé comme coupe-faim aux personnes qui désirent perdre du poids.

Bénéfices santé

- Abaisse la tension artérielle
- Contribue à protéger du cancer
- Digestif et astringent
- Soulage des rhumatismes

Traitements maison

Pour hypertendus

Aux personnes atteintes d'hypertension artérielle, on recommande de manger quatre ou cinq branches de céleri par jour pendant une semaine, de cesser le traitement pendant trois semaines, puis de recommencer à manger quotidiennement du céleri.

Contre les rhumatismes

Un demi-verre de jus de céleri durant 15 jours est recommandé aux personnes souffrant de rhumatismes.

Précautions

Parce que le céleri est riche en sodium, il est déconseillé aux personnes ayant un régime hyposodé.

Achat et conservation

Assurez-vous que les branches et les feuilles sont fermes et fraîches. Le céleri se conserve plusieurs jours au réfrigérateur dans un sac en plastique perforé. Pour lui redonner sa vigueur et son croustillant lorsqu'il est flétri, il suffit de le plonger dans l'eau froide et de le réfrigérer ainsi quelques heures.

Dans la cuisine

Il se consomme généralement cru, mais il donne beaucoup de saveur aux potages, aux sauces et aux ragoûts.

Recette

- Potage de céleri au cari (p. 171)

Astuce culinaire

Une branche de céleri coupée en julienne ajoutée à vos sauces et à vos ragoûts quinze minutes avant la fin de la cuisson leur donnera du croquant.

Bon à savoir

Le céleri ne perd pas ses nutriments au cours de la cuisson. En revanche, le faire tremper entraîne une perte de ses valeurs nutritives.

Céleri-rave

À l'instar de son cousin en branches, le céleri-rave est un légume-racine riche en fibres, en potassium et en vitamine C. Son aspect est très différent de son cousin, sa forme s'apparentant davantage à un rutabaga. Sa saveur en est aussi très éloignée, elle est piquante et beaucoup plus prononcée que celle du céleri en branches. Comme il se conserve aisément, il constitue un bon légume d'hiver.

Dans la cuisine

Peu populaire en Amérique du Nord, il est très apprécié en Europe où il se retrouve couramment dans les assiettes de crudités. Cuit, il entre dans la composition de savoureux potages, de purées et de gratins; cru, il se sert en salade ou nature, arrosé d'une vinaigrette.

Bénéfices santé

- Antiseptique
- Antirhumatismal
- Apéritif et rafraîchissant
- Digestif et tonique
- Stimule les surrénales

Traitement maison

Servi cru en salade et consommé deux fois la semaine, ce légume-racine améliore la digestion.

Précautions

Tout comme le céleri en branches, le céleri-rave est riche en sodium et déconseillé aux personnes ayant un régime hyposodé.

Achat et conservation

Choisissez un légume ferme sans meurtrissures, il se conservera plus d'une semaine au réfrigérateur.

Recette

- Potage de céleri-rave et de patate douce (p. 171)

Mariage parfait

Combinez céleri-rave, carottes et gruyère en confectionnant une purée que vous éviterez de saler, le céleri-rave étant bien pourvu en sodium. Cette purée vitaminée s'enrichit, grâce au lait et au fromage, de protéines et de calcium.

Astuce culinaire

Parce que sa chair noircit rapidement au contact de l'air, il faut arroser le céleri-rave de jus de citron ou le plonger dans une eau salée acidulée.

Bon à savoir

C'est le légume le plus riche en sodium.

Cerise

Bien qu'elle soit riche en sucre, la cerise est recommandée aux diabétiques, car le sucre qu'elle contient, le lévulose, s'assimile dans le sang. Ce fruit délicieux constitue un coupe-faim gorgé de vitamines et de minéraux. La sagesse populaire en a fait un aliment qui guérit la goutte et les rhumatismes. Si cette réputation a été démentie par des chercheurs, plusieurs études lui ont cependant reconnu des vertus thérapeutiques certaines pour soulager ces affections.

Bénéfices santé

- Antirhumatismale et antiarthritique
- Améliore le transit intestinal
- Dépurative, détoxicante
- Diurétique
- Réduit les risques de maladies cardiovasculaires
- Régulateur hépatique et gastrique
- Soulage de la goutte

Traitements maison

Un grand nettoyage

Manger exclusivement des cerises pendant un ou deux jours constitue un excellent moyen d'éliminer les déchets et les toxines emmagasinés dans l'organisme.

Recette anti-goutte

Déposez une poignée de queues de cerises dans une casserole contenant 1 litre d'eau bouillante, baissez le feu et laissez mijoter durant 7 à 10 minutes. Éteignez le feu et laissez reposer à couvert durant 20 minutes. Buvez 2 tasses par jour.

Précautions

Après avoir mangé des cerises, évitez de boire de l'eau, ce qui ferait gonfler la cellulose dans l'estomac.

Crue, la cerise est déconseillée aux dyspeptiques et aux organismes délicats, qui préféreront la consommer sous forme de compote ou de confiture.

La cerise est aussi interdite aux personnes qui désirent perdre du poids, non seulement en raison de sa valeur calorique élevée, mais parce que c'est un fruit que l'on grignote volontiers, dont les abus sont fréquents et difficiles à contrôler.

Dans la cuisine

On peut en faire des confitures, mais les cerises ne conservant que peu de leurs bienfaits à la cuisson, il vaut mieux les consommer crues. On peut cependant en faire du jus.

Achat et conservation

Les bigarreaux, à la chair douce et sucrée, sont fermes et lisses et d'un beau rouge foncé. Les griottes, dont la chair est acidulée, sont d'un jaune tirant sur le rosé ou le rouge clair. Les queues doivent être vertes, des queues foncées indiquant que le fruit n'est pas frais. Évitez de laver les cerises avant de les réfrigérer, mais faites-le avant de les consommer.

Recettes

- Boisson à l'orange et aux cerises (p. 135)
- Coupe apéritive aux trois fruits (p. 137)

Astuce culinaire

Pour en profiter toute l'année, vous pouvez congeler les cerises en prenant soin de les dénoyauter auparavant. Comme pour les fraises, étendez-les d'abord en une seule couche sur une plaque au congélateur durant quelques heures. Rangées ensuite dans des contenants hermétiques, elles se conserveront jusqu'à six mois. Une fois déshydratées, elle se conserveront environ un an, dans un récipient fermé.

Mariage parfait

Une salade de fruits rouges composée de cerises, de fraises et de framboises constitue une collation tonique et vitaminée qui procure une protection cellulaire grâce aux antioxydants que contiennent les petits fruits. Cette salade améliore le transit intestinal et facilite le travail des reins.

Truc beauté

Les cerises écrasées sont un excellent tonifiant pour la peau du visage et du cou.

Bon à savoir

Les cerises au marasquin, parce qu'elles sont arrosées de sirop, de colorants et de préservateurs chimiques, ne présentent pas d'intérêt nutritionnel.

Champignon

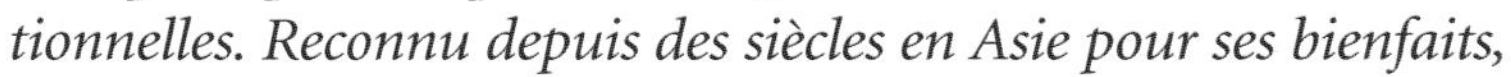

Parmi les milliers d'espèces de champignons répertoriées qui ont fait l'objet d'une multitude d'ouvrages, retenons surtout le shiitake pour ses propriétés thérapeutiques exceptionnelles. Reconnu depuis des siècles en Asie pour ses bienfaits, le shiitake est un grand champignon de couleur foncée dont la texture rappelle celle de la viande. Des études menées au Japon ont révélé qu'il était efficace contre le virus de la grippe.

Bénéfices santé

- Abaisse le taux de cholestérol
- Antiviral
- Combat le VIH
- Prévient la croissance de tumeurs
- Stimule le système immunitaire

Traitement maison

Lorsque vous pressentez les symptômes du rhume, préparez-vous un potage aux shiitakes (voir notre recette, p. 169), vous combinerez plaisir gourmand et remède fortifiant.

Achat et conservation

Il est possible de se procurer des shiitakes frais dans les boutiques d'alimentation exotiques, on en trouve même à l'épicerie à l'occasion, mais il est plus facile et plus pratique de les acheter déshydratés dans les magasins d'aliments naturels.

Dans la cuisine

Les shiitakes, comme la plupart des champignons, se consomment cuits. On peut se les procurer frais ou séchés. Pour les réhydrater, il suffit de les déposer dans une casserole, de les recouvrir d'eau, de porter à ébullition, puis de laisser mijoter à feu très doux une vingtaine de minutes. Avant de les ajouter à vos ragoûts et potages, égouttez-les, enlevez queues et hachez-les finement.

Recettes

- Cari de lentilles aux pistaches (p. 193)
- Champignons farcis (p. 152)
- Petites terrines de lentilles et de champignons (p. 155)
- Poêlée de champignons et de topinambours (p. 183)
- Potage aux champignons (p. 169)
- Spaghettis à l'aubergine et aux champignons shiitakes (p. 207)

Astuce culinaire

Pour tempérer le goût prononcé des shiitakes, ajoutez une quantité équivalente de champignons de Paris.

Bon à savoir

Les champignons de Paris contiennent eux aussi deux vitamines importantes du groupe B que peu de légumes peuvent offrir: la riboflavine et la niacine.

Chou

Banal en apparence, le chou vert, que l'on peut se procurer toute l'année, regorge de vitamines, de minéraux et de substances bactéricides reconnues. La liste des affections que le chou a guéries au cours des siècles est si impressionnante qu'elle paraît irréaliste et farfelue. Pourtant, s'il faut en croire des historiens respectables, les Romains en avaient fait une panacée. Ils se seraient maintenus en bonne santé durant six siècles grâce au chou qu'ils employaient pour soigner toutes les maladies, autant en usage externe qu'interne. Faut-il s'étonner que la sagesse populaire ait répandu la rumeur selon laquelle les bébés naissent dans des feuilles de chou ! Parions que ces feuilles protectrices promettaient une santé resplendissante. Quoi qu'il en soit, le chou est considéré de nos jours comme un aliment guérisseur avéré et un aliment minceur respecté, qui devrait figurer au menu de tous et pas seulement une fois la semaine.

Bénéfices santé

- Cicatrise les plaies
- Détruit les virus
- Diminue les risques de cancer, notamment le cancer du côlon et celui de l'estomac
- Favorise la croissance
- Guérit les ulcères et les varices
- Prévient les rhumes
- Soulage de l'arthrite, des rhumatismes et du zona

Bon usage

Consommer du chou cru au moins trois fois par semaine est une étonnante mais indiscutable protection contre les affections de toutes sortes, y compris le cancer.

Précautions

Cru ou cuit à l'étuvée (à la vapeur), il est toléré par tous les organismes. Mais pour lui conserver ses extraordinaires propriétés, il faut éviter de le faire cuire à l'eau.

Achat et conservation

Choisissez un chou vert lourd aux feuilles vertes et fermes, sans tache ni traces de déchirure. Ce légume résistant se conserve près d'un mois au réfrigérateur dans un sac en plastique. Pour sa part, le chou frisé possède des feuilles ondulées vert foncé qui, une fois cuites, gardent leur forme. Le bok choy ou pak choy est le chouchou des Asiatiques. Ses larges feuilles sont vertes et il possède de longues tiges blanches qui évoquent les côtes du céleri.

Dans la cuisine

Oubliez la sempiternelle salade de chou, mouillée et fade, et vous découvrirez au chou cru bien des qualités. Tranché en lanières, mélangé à des salades fraîches et nappé d'une vinaigrette simple faite d'huile d'olive et de jus de citron, le chou possède une tout autre saveur. Mélangé à vos légumes et à vos fruits préférés, pommes, poires ou clémentines, il fait une entrée rafraîchissante et ouvre l'appétit. Choisissez de préférence un chou jeune et retirez ses feuilles externes plus coriaces et le trognon fibreux avant de le préparer. Il est à son meilleur servi en entrée, arrosé d'une vinaigrette, après qu'on y a ajouté des cubes de pommes, des laitues variées et des amandes (voir nos recettes). Les feuilles du bok choy se cuisent comme des épinards, ses côtes comme du céleri.

Recettes

- Choux de Bruxelles sautés (p. 180)
- Rouleaux au chou chinois (p. 205)
- Salade de chou aux clémentines, aux épinards et aux graines de sésame (p. 215)
- Salade de cœurs d'artichauts aux pommes et à l'avocat (p. 216)

Mariage parfait

Associez chou et carottes émincés et vous obtenez une puissante protection antioxydante.

Astuce culinaire

La salade de chou est plus savoureuse lorsqu'on fait tremper les lanières de chou dans l'eau froide 30 minutes avant de la préparer.

On peut aussi la réfrigérer durant au moins 30 minutes avant de la consommer.

Truc beauté

Un masque chou

On conseille d'appliquer des feuilles de chou pendant une demi-heure sur le visage comme on le ferait d'un masque de beauté pour absorber les impuretés et régénérer les tissus.

En plus

Le chou de Savoie ressemble au chou vert, mais ses feuilles sont gaufrées et son vert est plus vif. Le napa, qu'on appelle aussi chou chinois, possède un goût plus délicat. Le bok choy, un autre légume vert chinois, est une variété que l'on sert plus souvent cuite. Le chou rouge, le chou blanc (vert pâle), le chou de Milan et les choux de Bruxelles possèdent des propriétés similaires à celles du chou vert.

Bon à savoir

Avis aux amateurs de choucroute, ce mets, pourvu qu'il soit préparé selon des procédés naturels, est bienfaisant. Ce qui serait indigeste dans la choucroute, ce sont les charcuteries qu'on y ajoute souvent avec excès.

Chou-fleur

Tout comme ses cousins crucifères, le chou-fleur est un aliment qui protège contre plusieurs formes de cancers. Faible en calories, en gras et en sodium, c'est une excellente source de fibres, de minéraux (phosphore, fer et potassium) et de vitamine C.

Bénéfices santé

- Éloigne le rhume et la grippe
- Empêche la croissance de tumeurs
- Protège contre les cancers du sein, du côlon et de la prostate
- Stimule le système immunitaire

Bon usage

Une portion de 100 g (3 oz) de chou-fleur cru chaque jour fournit la dose de vitamine C recommandée quotidiennement par les nutritionnistes.

Précautions

Il peut provoquer de la flatulence au moment où l'intestin décompose la cellulose qu'il contient.

Les personnes qui souffrent de la goutte devraient éviter le chou-fleur et lui préférer le chou ou le brocoli qui contiennent moins d'acides aminés. L'acide purique que renferme le chou-fleur peut en effet provoquer de douloureuses crises de goutte.

Achat et conservation

Choisissez un légume lourd aux feuilles vertes et aux bouquets d'une belle couleur crème. Les taches brunes qui apparaissent sur les bouquets indiquent que le chou-fleur n'est pas frais. Si vous ne pouvez le consommer immédiatement, évitez de le laver avant de l'emballer dans un sac de plastique perforé, il se conservera une semaine au réfrigérateur.

Dans la cuisine

Cuit dans le bouillon, seul ou accompagné de carottes ou de brocoli, il compose de savoureux potages d'une belle texture. Ses bouquets blancs qui croquent sous la dent sont du plus bel effet sur le vert des salades ou dans les assiettes de crudités. C'est un excellent coupe-faim.

Recettes

- Potage au chou-fleur (p. 168)
- Chou-fleur à l'indienne (p. 179)

Astuce culinaire

Si vous tenez à le manger cuit, pour éviter que ses bouquets jaunissent, ajoutez du jus de citron à l'eau de cuisson. Aussi, l'odeur de soufre qu'il dégage à la cuisson sera moins concentrée si vous prenez soin de le faire cuire dans une marmite sans couvercle en y plongeant une noix de Grenoble dans sa coquille.

Bon à savoir

C'est le légume le plus digeste de la famille des choux.

Citron

Fruit au goût tonique et à la vive couleur jaune, le citron doit d'abord sa réputation curative à sa forte concentration en vitamine C. Il a sauvé nombre de vies humaines en protégeant les marins des siècles passés contre le scorbut, une grave maladie qui affectait les équipages au cours de leurs longues traversées en mer. Il contient également du carotène, des sels minéraux et des oligo-éléments. Les recherches ont montré que, grâce à ses propriétés antioxydantes, il prévient la progression de cancers et retarde le vieillissement. Son jus et son écorce sont très prisés en cuisine, et il rend de multiples services d'entretien dans la maison.

- Antirhumatismal, antigoutteux, antiarthritique
- Calme et soigne les problèmes gastriques
- Contient des substances reminéralisantes
- Prévient le rhume et soulage de ses symptômes
- Tonique et rafraîchissant
- Traite l'anémie
- Vermifuge

Traitements maison

Traitement antirhume

Buvez le jus d'un citron fraîchement pressé dans de l'eau chaude plusieurs fois par jour et avant de vous coucher dès les premiers symptômes d'un rhume.

Aussi, 2 c. à soupe de jus de citron fraîchement pressé, ajoutées à un demi-verre d'eau, bues au lever et au coucher, constituent un excellent tonique.

Le jus de citron est particulièrement recommandé aux personnes fatiguées, aux convalescents et aux enfants.

Précautions

Le fruit doit être mûr et, si on en utilise l'écorce – elle donne un goût très fin aux salades, aux vinaigrettes, aux ragoûts de viande, aux poissons, aux pâtes, aux crèmes et aux gâteaux –, le citron doit être exempt de pesticides. Pour lui conserver sa belle apparence, on l'a généralement enduit de cire. S'il vous est impossible de vous procurer des citrons de culture biologique, brossez bien les fruits ou laissez-les tremper quelques secondes dans l'eau bouillante ou plusieurs heures dans l'eau froide afin de dissoudre cette pellicule de cire.

Aussitôt que le jus du citron entre en contact avec l'air, les vitamines qu'il contient s'oxydent et perdent leurs vertus. Cela est vrai aussi pour l'orange et le pamplemousse. Pour profiter des bienfaits des agrumes, buvez leur jus immédiatement après avoir pressé les fruits.

Achat et conservation

Choisissez des fruits fermes et mûrs au grain fin et, si possible, qui n'ont pas été traités. Conservez-les au frais, à l'abri de la lumière.

Dans la cuisine

Qu'il soit cuit ou cru, le citron est très utile dans la cuisine, car toutes ses parties sont comestibles. Il confère une saveur inégalée à tous les plats, sucrés ou salés. Chaque partie du citron a son utilité. Lorsque vous préparez des vinaigrettes, essayez de remplacer le vinaigre par du jus de citron et râpez-en légèrement l'écorce. Pour tirer le maximum de vertus de ce fruit antioxydant, ajoutez-en des quartiers, y compris la peau blanche, aux jus de fruits ou de légumes que vous préparez au mélangeur.

Recettes

- Artichauts à l'ail et au citron (p. 149)
- Compote d'abricots, de figues et de clémentines (p. 135)
- Filet de saumon cru aux herbes salées (p. 153)
- Limonade pétillante (p. 246)
- Mayonnaise légère sans œufs (p. 224)
- Trempette d'avocat au citron et aux anchois (p. 160)

Mariage parfait

Associez huile d'olive, moutarde et citron (jus et zeste), et obtenez une vinaigrette simple et vitaminée, à protection antivirale si vous y ajoutez de l'ail.

Trucs d'entretien

Les taches d'encre sur les mains disparaissent rapidement lorsqu'on les frotte avec du jus de citron.

Pour nettoyer les casseroles de cuivre, frottez-les avec des quartiers de citron enduits de gros sel.

Astuce culinaire

Avant de presser un citron, roulez-le sur le comptoir en appliquant une pression avec la main, ce qui aura pour effet de le ramollir et de dégager un maximum de jus lorsque vous le presserez.

Si votre cassonade est devenue aussi dure qu'un bloc de ciment, enfermez-la dans un sac avec un citron entier jusqu'à ce qu'elle soit ramollie.

Trucs beauté

Traitement antirides

Appliquez un mélange en parts égales d'huile d'olive et de jus de citron, et massez délicatement la peau du visage. Les substances vitaminées contenues dans l'huile et le citron ont un effet stimulant et aident à atténuer les rides d'expression.

Recette sourire

Un mélange en parts égales (1 c. à thé) de bicarbonate de soude et de jus de citron que vous utiliserez comme dentifrice rendra votre sourire éclatant.

Bon à savoir

Un citron de forme ronde est généralement plus juteux qu'un citron ovale.

Clémentine

Ce petit fruit juteux et succulent que l'on peut se procurer presque toute l'année est souvent le favori des tout-petits, car il est sucré et son écorce tendre est facile à peler. En plus d'être une source abondante de vitamine C, il contient des flavonoïdes ou vitamine P, qui renforcent l'action de la vitamine C.

Bénéfices santé

- Apéritive et digeste
- Éloigne les risques de cancer
- Prévient le rhume

Bon usage

Consommer deux clémentines par jour équivaut à avaler la moitié de la dose de vitamine C quotidiennement recommandée.

Précautions

Ce fruit convient à tous les organismes.

Achat et conservation

Choisissez des fruits lourds pour leur taille, ce sont les plus juteux. Ils se conservent plusieurs jours à la température de la pièce ou au réfrigérateur.

Dans la cuisine

On consomme les clémentines le plus souvent comme collation, mais elles sont délicieuses dans des salades de fruits et s'ajoutent avec bonheur aux salades de légumes, de laitues et de pâtes.

Recettes

- Compote d'abricots, de figues et de clémentines (p. 135)
- Salade de chou aux clémentines, aux épinards et aux graines de sésame (p. 215)

Mariage parfait

Réunissez clémentine, yogourt, miel et jus de citron; le calcium des clémentines est bien absorbé, grâce à la présence d'acides organiques et de la vitamine C.

Astuce culinaire

La clémentine, parce qu'elle est facile à peler, remplace avantageusement l'orange dans une salade express.

Bon à savoir

En plus de la tangerine et de la mandarine, d'autres variétés intéressantes issues de croisements divers ont vu le jour et sont offertes sur le marché. L'ugli a l'apparence d'un pamplemousse déformé. Sa pulpe est juteuse et un peu plus acide que le pomelo. Le tangelo est le fruit d'un croisement entre la mandarine et le pamplemousse. Il est plus juteux et moins acidulé que le pomelo.

Courge d'hiver

Parmi les nombreuses courges d'hiver, mentionnons quatre variétés, soit la courge musquée ou Butternut, de couleur caramel et en forme de cloche, la courge de Hubbard, bosselée et orange vif, la reine de la table, arrondie, orange vif ou vert foncé taché d'orangé, et la courge spaghetti, jaune et de forme ovale. Seules les deux premières fournissent plus de carotène que la dose recommandée. Mais toutes contiennent de la vitamine C et constituent une excellente source de fibres.

Bénéfices santé

- Diminue les risques de cancer de l'endomètre
- Prévient les affections cardiaques
- Prévient les affections pulmonaires
- Soulage de la constipation
- Soulage des hémorroïdes

Bon usage

Les personnes souffrant d'asthme ont intérêt à consommer régulièrement des courges d'hiver pour leur forte teneur en vitamine C.

Précautions

On ne leur connaît pas d'effets négatifs.

Achat et conservation

Choisissez une courge lourde à la peau dure, elles se conservera plusieurs semaines voire tout l'hiver dans un endroit sec et frais, à une température de 12 °C. En choisissant des courges qui ont encore leur queue (pédoncule), vous ne courez aucun risque qu'elles soient pourries à l'intérieur.

Dans la cuisine

Combinée à des carottes et à des rutabagas, la courge musquée fait une délicieuse purée.

La reine de la table est savoureuse quand on la cuit au four, coupée en moitiés et farcie de riz ou d'un hachis de viande. Ajoutez des morceaux de courge de Hubbard à vos ragoûts, ils gagneront en valeur vitaminique.

Recette

- Potage à la courge musquée (p. 167)

Astuce culinaire

La peau dure et épaisse des courges, qui a pour but de protéger leur chair, a parfois de quoi décourager. Pour vous faciliter la tache, commencez par cuire la courge entière au four avant d'essayer de la couper. Après une vingtaine de minutes à 375 °F (190 °C), la peau devrait commencer à ramollir. Séparez-la alors en deux et achevez sa cuisson.

Bon à savoir

Plus sa couleur est sombre, plus la courge contient du bêta-carotène, ce remarquable agent antioxydant qui protège contre les affections cardiaques.

Courge d'été

La courgette est certainement la plus populaire des courges d'été, mais le pâtisson, rond et plat, et la chayotte en forme de poire sont d'autres variétés qui gagnent à être connues. Toutes ces courges ont une saveur très douce, se digèrent facilement, et sont une bonne source de fibres et de vitamines A et C.

Bénéfices santé

- Digeste
- Protège contre diverses formes de cancer

Bon usage

Intégrer une courgette non pelée à un repas de viande facilite la digestion.

Précautions

On ne connaît aux courges aucun effet nocif sur la santé, on peut donc en consommer sans crainte et profiter pleinement de leurs bienfaits.

Achat et conservation

Choisissez des courgettes lourdes à la peau bien verte, des pâtissons sans meurtrissures, des chayottes fermes à la peau lisse. Toutes ces courges se conservent bien au réfrigérateur.

Dans la cuisine

Les courgettes entrent dans la composition de toutes sortes de plats délicieux: potages, entrées, gratins, salades, gâteaux et muffins. La chayotte est presque aussi polyvalente, sauf pour les desserts. Quant au pâtisson, on le consomme surtout farci.

Recettes

- Gâteau à la courgette au cacao (p. 237)
- Gâteau à la courgette aux deux farines (p. 238)
- Potage aux courgettes (p. 170)
- Ratatouille niçoise (p. 155)

Astuce culinaire

La chair de courgette ajoute du moelleux aux potages et remplace avantageusement la pomme de terre comme agent d'épaississement.

Bon à savoir

La courge à moelle verte, rayée de blanc, possède une chair délicate et ressemble beaucoup à la courgette, mais elle est plus grosse. Comme sa petite cousine, on peut la farcir et la faire cuire au four.

Cresson

Reconnu depuis l'Antiquité pour ses propriétés médicinales, le cresson est un fortifiant qui a la réputation de guérir le scorbut. Riche en vitamines A, B et C (il en contient presque autant que le citron), il est une bonne source de fer, d'iode, de phosphore, de calcium, de sodium et de potassium.

Bénéfices santé

- Antianémique
- Antidote de la nicotine
- Apéritif
- Dépuratif
- Diurétique
- Protège contre les maladies cardiovasculaires

Bon usage

Remplacer la laitue par du cresson dans les sandwiches et les salades est une mesure de protection efficace contre diverses maladies.

Les fumeurs ont intérêt à consommer du cresson quotidiennement, car il a été reconnu par les scientifiques comme un aliment capable de protéger contre le cancer du poumon.

Précautions

Absorber une dose trop forte de cresson peut endommager les estomacs sensibles ou provoquer des symptômes de cystite.

Achat et conservation

Choisissez une botte aux feuilles bien vertes et rangez-la dans un sac de plastique avant de la mettre au réfrigérateur. Vous pouvez aussi déposer le bouquet dans un verre d'eau que vous placerez au frigo après l'avoir recouvert d'une pellicule plastique. Il se conservera quatre ou cinq jours, pas davantage.

Dans la cuisine

Le cresson peut être cuit, mais il perd ainsi beaucoup de ses propriétés thérapeutiques. Ajoutez-le cru à vos salades de laitue et garnissez-en vos plats de crudités, c'est un véritable bouquet de vitamines.

Recette

- Salade de cresson aux pommes, aux noisettes et au chèvre (p. 156)

Truc beauté

Des frictions hebdomadaires faites avec le suc du cresson peuvent stopper la chute des cheveux.

Bon à savoir

Une portion de 100 g (3 oz) de cresson contient plus de vitamine C que la dose quotidienne recommandée par les nutritionnistes.

Curcuma

Connu depuis des millénaires dans la médecine ayurvédique, le curcuma est une épice riche en vitamine C, en fer et en potassium. On l'appelle parfois «safran des Indes» en raison de sa couleur jaune causée par une substance que contient son rhizome, la curcumine. Mais la comparaison s'arrête là, sa saveur légèrement amère étant beaucoup plus piquante que le safran. Le curcuma a des effets anti-oxydants et anti-inflammatoires. Il est par ailleurs bon pour le foie, car il augmente la sécrétion de la bile. Des études épidémiologiques ont montré que l'incidence du cancer du côlon est nettement moins élevée dans les pays asiatiques où on consomme du curcuma en grande quantité.

Bénéfices santé

- Antiseptique et antispasmodique
- Combat les inflammations articulaires, l'arthrose et l'arthrite
- Diminue les risques de cancer, particulièrement le cancer de la peau
- Facilite la digestion
- Prévient la formation de cataractes
- Prévient la maladie d'Alzheimer
- Soigne les maladies de la peau
- Soulage des douleurs arthritiques
- Soulage de la diarrhée et vermifuge

Traitements maison

Contre les problèmes digestifs

Infuser de 1 g à 1,5 g de poudre de rhizome dans 150 ml (5 oz) d'eau bouillante durant 10 à 15 minutes. Boire deux tasses par jour.

Aussi, ½ c. à café trois fois la semaine dans vos potages, plats de légumineuses et plats en sauce vous prémunit contre les infections de toutes sortes.

Précautions

Une mise en garde s'impose en cas d'ulcère gastrique, une étude ayant révélé que les curcuminoïdes pouvaient avoir, à hautes doses, un effet irritant sur l'estomac.

Achat et conservation

Il vaut mieux se procurer le curcuma en petites quantités car ses propriétés bénéfiques s'altèrent avec le temps.

Dans la cuisine

Cette épice, qui sert aussi de teinture en Inde, entre dans la préparation de plusieurs caris (masala), et donnera couleur et parfum à vos soupes, vos riz et vos ragoûts de viande.

Recettes

- Cari de lentilles aux pistaches (p. 193)
- Chou-fleur braisé à l'indienne (p. 179)
- Quiche au millet, au tofu et aux lentilles (p. 203)
- Riz au cari et aux pistaches (p. 184)

Truc beauté

En Inde, on applique le curcuma en pâte sur le visage comme masque de beauté.

Bon à savoir

Plus la teinte de la poudre est sombre, plus le curcuma est de qualité.

Endive

Légume frais, digeste et croquant, l'endive était connue des Grecs et des Romains qui la consommaient aussi bien crue que cuite. Elle contient des vitamines A, B et C, ainsi qu'un taux élevé d'acide folique, de phosphore, de calcium, de manganèse, de fer, de potassium, de zinc et de cuivre. Sa faible teneur en calories en fait un légume d'accompagnement idéal pour les personnes qui souhaitent perdre du poids.

Bénéfices santé

- Diurétique
- Combat la goutte
- Favorise le transit intestinal
- Stimule les sécrétions digestives

Bon usage

Faites-en votre légume d'accompagnement lorsque vous mangez des plats de viande ou des ragoûts riches en calories, l'endive les rendra plus digestes.

Précautions

L'endive ayant tendance à devenir amère au contact de la lumière, il faut la consommer jeune et fraîche.

Achat et conservation

Choisissez des endives aux feuilles fraîches et sans meurtrissures qui ont été conservées à l'abri de la lumière et qui sont d'une belle couleur blanche tirant sur le jaune. Elles ne se conservent pas plus de quatre jours dans le tiroir à légumes du réfrigérateur.

Dans la cuisine

Crues, elles sont «craquantes» en salades, arrosées d'une vinaigrette à la moutarde et garnies de noix. Cuites à l'étuvée dans un peu de beurre, elles font un délicat légume d'accompagnement.

Recette

- Endives braisées (p. 180)

Mariage parfait

Réunissez endives et pommes pour leurs fibres, gruyère et cerneaux de noix pour leur calcium. Les acides gras insaturés des noix et les fibres des fruits sont particulièrement bénéfiques au système cardiovasculaire.

Astuce culinaire

Une endive qui n'est plus fraîche devient amère. Pour lui enlever son amertume, il suffit de retirer le cône dans lequel s'est concentré le cynaride en creusant la base avec la pointe d'un couteau.

Bon à savoir

L'endive est source de nombreux oligo-éléments, notamment le sélénium, qui protège les cellules du vieillissement, offrant 10 % de l'apport quotidien recommandé.

Épinard

Ces belles feuilles dissimulent une importante source de fibres, de vitamines C et E, de chlorophylle, et contiennent des sels minéraux. Mais c'est leur forte teneur en caroténoïdes et en bêta-carotène qui en fait le légume anticancer par excellence avec le chou. Des études révèlent en effet que les personnes qui consomment régulièrement des épinards sont moins exposées à divers types de cancer, entre autres le cancer du poumon. L'épinard a d'ailleurs détrôné le haricot vert de sa position de légume minceur.

Bénéfices santé

- Activateur de sécrétion pancréatique
- Contribue à conserver une bonne vue
- Combat la dépression
- Protège contre différents types de cancer
- Réduit le cholestérol sanguin chez l'animal
- Régulateur intestinal
- Tonicardiaque et antianémique

Bon usage

Consommer des épinards frais ou autres feuillus du même type (voir Laitue) deux fois la semaine est une mesure de protection irremplaçable contre plusieurs maladies et permet de régulariser l'humeur.

Précautions

Chez certains sujets sensibles, l'épinard peut aggraver les risques de formation de calculs urinaires.

À cause de leur forte teneur en acide oxalique, les épinards auraient un effet nocif sur l'assimilation du calcium.

Achat et conservation

Choisissez de belles feuilles vertes, jeunes de préférence. Elles se conservent cinq ou six semaines au réfrigérateur dans un sac perforé.

Dans la cuisine

Crues, ajoutées à des feuilles de laitue, les feuilles font de bonnes salades nourrissantes.

Cuites, elles entrent dans la composition de potages, de ragoûts, de plats au gratin et de feuilletés, et font une savoureuse garniture aux plats de viande.

Recettes

- Épinards et tomates gratinés (p. 152)
- Potage aux épinards et aux pacanes (p. 170)
- Salade de pâtes potagère (p. 217)
- Lasagnes aux épinards et aux champignons (p. 200)

Astuce culinaire

Ajouter un brin de muscade à la cuisson des épinards leur confère un goût délicat.

Bon à savoir

On a découvert récemment que l'épinard, longtemps réputé pour être très riche en fer. en contenait 10 fois moins que la rumeur l'avait laissé croire. Sa bonne réputation serait due à une erreur de calcul. En déterminant la quantité de fer dans l'épinard, les experts se seraient trompés d'une décimale.

Fenouil

Ce légume bulbe au bon goût anisé qui s'apparente au céleri possède des propriétés digestives dont les diabétiques et les rhumatisants voudront profiter. Il contient des vitamines en abondance, des sels minéraux et du fer. Il est également riche en bêta-carotène et contient de l'acide folique, une substance utile au développement du fœtus.

Bénéfices santé

- Apéritif et diurétique
- Combat la flatulence
- Prévient l'anorexie
- Soigne les inflammations respiratoires
- Soulage des coliques et des crampes

Traitement maison

1 c. à thé de graines de fenouil bouillies 5 minutes dans l'eau, puis infusées 10 minutes facilite la digestion.

Précautions

Le fenouil est déconseillé aux femmes qui allaitent et aux enfants de moins d'un an.

Il est recommandé de ne pas prendre de fenouil sur une base quotidienne durant plus de deux semaines consécutives.

Achat et conservation

Choisissez un bulbe ferme sans flétrissures. Il se conservera une bonne dizaine de jours dans un sac en plastique perforé au réfrigérateur.

Dans la cuisine

Aussi bon cru que cuit, le fenouil se cuisine un peu comme le céleri. N'utilisez que le bulbe, les tiges sont fibreuses. Consommé tel quel, il fait un délicat hors-d'œuvre qui ouvre l'appétit et donne du croquant aux salades. Cuit, son goût anisé s'atténue; il compose alors des potages au goût subtil et constitue un incomparable légume d'accompagnement dans une variété de plats de viande et de poisson.

Recettes

- Fenouil braisé à la sauce tomate (p. 181)
- Potage au fenouil (p. 168)
- Salade de fenouil à l'orange (p. 217)

Astuces culinaires

Ajouter des côtes de fenouil hachées à l'eau de cuisson de légumineuses rend celles-ci plus digestes tout en prévenant la flatulence.

Garnissez votre plateau de fromages de côtes de fenouil, elles facilitent la digestion.

Bon à savoir

En Inde, on fait griller les graines qu'on mastique ensuite pour combattre la mauvaise haleine et faciliter la digestion.

Fenugrec

Plante annuelle pouvant atteindre 20 cm de hauteur, le fenugrec est au nombre des plus anciennes plantes médicinales et culinaires cultivées dans l'histoire de l'humanité. Il a une odeur de foin coupé, tandis que ses graines et ses feuilles ont une saveur amère qui rappelle la livèche et le céleri. Le fenugrec est très riche en fer, en vitamines et en sels minéraux. Il contient de la diosgénine, une substance naturelle très proche des hormones produites par l'organisme de la femme, dont on se sert dans la synthèse des hormones sexuelles et dans les contraceptifs oraux.

Bénéfices santé

- Abaisse le taux de cholestérol
- Atténue les douleurs causées par l'arthrose et la névralgie
- Contrôle le taux de glucose des diabétiques
- Combat l'anémie
- Prévient l'hypertension
- Soulage de l'inflammation (voie externe)
- Soulage de la bronchite, du rhume et de diverses formes d'allergies
- Vermifuge

Bon usage

Un vin fortifiant

À 2 oz (60 g) de graines macérées pendant 12 h dans ¼ de tasse (60 ml) d'alcool à 60°, ajoutez 4 tasses (1 litre) de vin blanc et laissez reposer 10 jours. Filtrez et buvez trois petits verres par jour en guise de tonique apéritif.

Précautions

On a longtemps utilisé les graines de fenugrec pour provoquer les contractions utérines et faciliter l'accouchement. Par mesure de sécurité, on conseille aux femmes enceintes de ne pas excéder les doses alimentaires habituelles, afin d'éviter tout risque de fausse couche ou d'accouchement prématuré.

Achat et conservation

Comme toutes les épices, les graines de fenugrec se conservent aisément dans un contenant hermétique rangé dans un endroit sec à l'abri de la lumière.

Dans la cuisine

Les graines entrent dans la préparation de ragoûts et de caris, et confèrent une saveur particulière aux salades et aux plats de poissons, surtout lorsqu'elles sont germées.

Recette

- Soupe aux pois cassés à l'indienne (p. 174)

Astuces culinaires

Les graines du fenugrec ont une enveloppe particulièrement dure, aussi est-il utile de les faire germer.

Confectionnez vous-même vos mélanges d'épices, ce qui vous permettra de gagner du temps au moment de préparer les repas.

Bon à savoir

De nos jours, l'industrie alimentaire se sert du fenugrec pour parfumer des produits et leur donner un goût d'érable.

Figue

Connue depuis des siècles pour ses vertus thérapeutiques, notamment sa capacité de s'attaquer aux tumeurs cancéreuses, la figue apparaît encore aujourd'hui en bonne place au menu des diététistes qui lui reconnaissent beaucoup de qualités. Faible en gras et en sel, la figue est riche en fibres et constitue une source de calcium, de magnésium et de potassium. Elle contient en outre un nutriment rare, la vitamine B_6. Tonique et digestible, elle est très prisée des sportifs.

Bénéfices santé

- Abaisse la tension artérielle
- Combat les irritations intestinales
- Régularise le taux de cholestérol
- Prévient le cancer, notamment le cancer du côlon
- Soulage de la constipation

Traitement maison

Contre la constipation

Coupez quatre figues fraîches en quatre et faites-les cuire dans un peu de lait avec une petite poignée de raisins secs. Dégustez le matin, à jeun, en guise de petit-déjeuner.

Précautions

Parce qu'elle est très riche en sucre, il faut la consommer avec modération.

Achat et conservation

Il est parfois difficile de se procurer des figues fraîches, parce qu'elles s'abîment facilement, mais on peut en trouver dans les magasins de fruits et légumes spécialisés et quelques grandes chaînes d'alimentation. Choisissez un fruit parfumé, ferme et tendre à la fois, mais qui n'a pas tendance à s'écraser et dont la queue est encore ferme. Elle se garde deux ou trois jours au réfrigérateur. Les figues séchées se conservent aisément durant plusieurs mois dans un endroit sec, à l'abri de la lumière.

Dans la cuisine

On a tendance à ajouter les figues séchées à des préparations servies au petit-déjeuner : céréales, gruau, muffins et salades de fruits, mais cuites dans des ragoûts de viande bien épicés, elles sont vraiment délectables.

Recettes

- Compote d'abricots, de figues et de clémentines (p. 135)
- Muffins au son et aux figues (p. 141)
- Sauce tiède aux figues et aux fruits secs (p. 239)

Astuce culinaire

Les figues sont généralement très collantes et difficiles à couper. Pour rendre l'opération plus facile, gardez-les au réfrigérateur pendant une heure, ou encore passez la lame de votre couteau sous l'eau chaude.

Bon à savoir

En raison de leur forte teneur en fibres et malgré le fait qu'elles soient riches en sucre, les figues sont recommandées aux personnes souffrant d'obésité; les fruits, séjournant plus longtemps dans l'estomac, créent une impression de satiété qui porterait à moins manger.

Fraise

Riche en vitamines et en sels minéraux, ce petit fruit délicieux est permis aux diabétiques puisque le sucre qu'il contient, le lévulose, n'a pas d'effets défavorables sur eux. C'est, avec le melon et la framboise, l'un des trois meilleurs fruits minceur. La fraise contient également une substance antioxydante, le glutathion, qui, selon de récentes découvertes, aurait pour effet de ralentir le processus de détérioration du système immunitaire chez les personnes atteintes du VIH. De plus, la fraise serait, avec le kiwi, codétentrice du titre du fruit le plus riche en vitamine C.

Bénéfices santé

- Combat le VIH
- Dépurative et diurétique
- Prévient la constipation
- Soulage de la goutte

Bon usage

On recommande d'en manger tous les jours en guise d'apéritif, au début du repas.

Précautions

La fraise est déconseillée aux personnes souffrant de dermatose. Elle peut causer des allergies et des éruptions cutanées bénignes qui disparaissent dès qu'on cesse d'en consommer.

Achat et conservation

Évitez les fruits ayant des parties blanches, ils ne mûriront plus. Les fraises se consomment tôt après la cueillette, mais on peut les conserver avec un peu de sucre quelques jours au réfrigérateur. Pour les congeler, les étendre sur une plaque au congélateur jusqu'à ce qu'elles soient fermes avant de les entreposer dans un contenant hermétique.

Dans la cuisine

Elles font naturellement de savoureuses confitures, des garnitures de tartes et de gâteaux. Incorporées à des salades, elles composent une entrée rafraîchissante, audacieuse et franchement succulente.

Recettes

- Coulis de canneberges et de fraises (p. 234)
- Salade de fraises, de cantaloup et d'avocat (p. 157)

Truc beauté

Masque à la fraise

Le soir avant le coucher, écrasez quelques fraises sur votre visage et gardez ce masque une heure ou jusqu'au lendemain. Lavez-vous au matin à l'eau claire. Ce masque éclaircit le teint, repose les traits, estompe les rides.

Astuce culinaire

Faire tremper les fraises dans le vin rouge durant une heure permet de les stériliser. On peut ensuite les sucrer et les servir avant le repas.

Bon à savoir

Une portion de 100 g (3 oz) de fraises contient presque la totalité de la dose de vitamine C recommandée par les nutritionnistes.

Framboise

Riche en vitamines B et C, en potassium et en divers acides, ce délicat petit fruit est un délice dont peuvent profiter les diabétiques et les rhumatisants, son sucre, le lévulose, ne leur causant aucun effet négatif. Autre avantage à considérer, elle est parmi les fruits les moins caloriques. Ses fibres sont abondantes et efficaces pour lutter contre une tendance à la constipation. La framboise soulage en outre des douleurs menstruelles et nettoie l'organisme.

Bénéfices santé

- Accélère le transit intestinal
- Antirhumatismale
- Combat les infections urinaires
- Combat les inflammations de la bouche
- Diminue les risques de maladies cardiovasculaires
- Dépurative
- Diurétique
- Protège les cellules du vieillissement
- Soulage des malaises d'estomac

Bon usage

Ajoutées aux céréales du matin, les framboises sont une excellente source de fibres, lesquelles, on le sait, protègent efficacement contre les maladies cardiovasculaires.

Précautions

Les personnes montrant une fragilité intestinale ont intérêt à consommer la framboise sous forme de coulis tamisé, ce qui permet d'éliminer les grains indésirables pour elles.

Achat et conservation

La framboise ne se conserve que peu de temps au réfrigérateur. Parce qu'elle est très fragile, il vaut mieux la laver juste avant de la consommer.

Dans la cuisine

Servies nature, les framboises font d'excellentes collations; nappées de yogourt, elles constituent un vrai délice.

Recettes

- Coupe de fruits à la crème de mangue (p. 234)

Astuce culinaire

Assez rapidement après la récolte du fruit, une enzyme naturelle, la pectinase, agit sur les pectines de la framboise et diminue leur pouvoir gélifiant. C'est pourquoi il est nécessaire d'utiliser les framboises rapidement après la cueillette quand on veut faire une gelée ou des confitures.

Bon à savoir

Les feuilles du framboisier possèdent des propriétés astringentes, diurétiques et laxatives. Dans certains pays anglo-saxons, on en fait une infusion qu'on administre aux femmes enceintes au moment de l'accouchement.

Gingembre

Cette racine que les Orientaux utilisent dans leur cuisine depuis des millénaires est réputée pour guérir un nombre considérable d'infections. En Europe, c'est en tant que remède contre les nausées que le gingembre a acquis ses lettres de noblesse, plus particulièrement en Allemagne où on l'utilise couramment pour lutter contre la nausée et le mal des transports. Mais il a aussi fait ses preuves pour soulager de l'arthrite, des maux de tête et des rhumes, et on apprécie de mieux en mieux son goût si caractéristique dans les cuisines d'Occident.

Bénéfices santé

- Anticoagulant
- Antiseptique
- Calme les nausées et prévient les vomissements
- Combat la flatulence
- Combat les douleurs rhumatismales
- Prévient la formation d'ulcères
- Soulage des maux de tête, des symptômes du rhume et de la grippe
- Soulage des douleurs dues à l'arthrite
- Stimule la digestion
- Tonique

Traitement maison

Aux premiers signes de grippe ou de congestion, faites bouillir dans une tasse d'eau deux tranches de gingembre frais et laissez infuser 10 minutes. Rehaussez d'un soupçon de cannelle. Cette infusion au gingembre serait également très efficace pour soulager de l'arthrite et des maux d'estomac, et pour faciliter la digestion.

Précautions

Consommé en grande quantité, le gingembre peut causer la diarrhée. Comme en toute chose, il convient de pratiquer la modération et d'y aller progressivement si cet aliment ne fait pas partie de votre régime alimentaire.

Les femmes enceintes peuvent soulager leurs nausées en consommant du gingembre. Cependant, on leur recommande de se limiter à 2 g par jour.

Achat et conservation

Choisissez des rhizomes fermes, à la peau argentée, fine et claire, et longs, leur longueur étant un gage de maturité et le signe qu'ils renferment davantage de fibres. Le gingembre se conserve à la température ambiante et se congèle bien, râpé ou dans sa forme originelle.

Dans la cuisine

Le gingembre possède un goût délicat et piquant qui se prête à une multitude d'utilisations; il parfume avec bonheur les potages, les entrées en sauce, les plats de légumes, les ragoûts et les caris, les vinaigrettes, les desserts et les boissons chaudes. On peut se le procurer sous plusieurs formes, frais, en poudre, confit, séché, en sirop, moulu ou en marmelade. Ses propriétés thérapeutiques sont néanmoins plus actives quand on le consomme frais. Le râper permet de libérer ses substances si bénéfiques pour la santé.

Mariage parfait

Son parfum s'harmonise bien avec la coriandre, le citron et les oranges. Ajoutez-en de fines lanières à une salade de légumes : riche en vitamines variées, cette salade peu calorique sera également remplie de fibres.

Recettes

- Bière de gingembre (p. 245)
- Chou-fleur à l'indienne (p. 179)
- Compote d'abricots, de figues et de clémentines (p. 135)
- Linguines aux amandes (p. 201)
- Salade de betteraves et de carottes (p. 156)
- Sauce aux canneberges, à l'orange et au gingembre (p. 225)
- Thé vert à la menthe et au gingembre (p. 246)
- Trempette au yogourt, au cari et à l'ananas (p. 226)
- Vinaigrette aux mille vertus (p. 227)

Astuces culinaires

Pour râper le gingembre et lui conserver toutes ses vertus, après l'avoir pelé, utilisez un presse-ail.

On peut le conserver en faisant macérer des tranches pelées dans du xérès, de la vodka ou du saké.

Truc détente

Un bain délassant

Procurez-vous du gingembre en poudre et déposez-en environ 2 c. à soupe dans l'eau de la baignoire. Ne vous inquiétez pas si votre peau prend une teinte rosée, cela se dissipera peu à peu.

Truc jardinage

Une jolie plante de cuisine

Choisissez une racine fraîche et plantez-la dans un pot rempli de terreau. Arrosez-la et placez-la près d'une fenêtre ensoleillée. Au bout de six semaines environ, vous verrez émerger une pousse.

Bon à savoir

Les boissons au gingembre commerciales contiennent peu de gingembre, donc peu de propriétés curatives. Cependant, vous pouvez fabriquer votre propre bière de gingembre en suivant la recette à la page 245.

Une dose de 1 à 2 g de gingembre séché en poudre équivaut à environ ½ oz (10 g) de gingembre frais, soit une tranche de rhizome (de diamètre moyen) d'environ 6 à 7 mm d'épaisseur.

Haricots secs

Le haricot blanc, le flageolet, le haricot pinto, le haricot rouge, le pois chiche, le haricot noir, le haricot mungo, la lentille (voir p. 67) et la fève soja (voir pp. 117, 118) sont les légumineuses les plus connues. Ces viandes du pauvre, comme on les appelle encore parfois, sont les végétaux les plus riches en protéines. Ils contiennent également des fibres en abondance qui protègent contre les maladies cardiovasculaires et pourraient avoir un effet bénéfique dans la prévention de certains cancers.

Bénéfices santé

- Abaissent le taux de mauvais cholestérol
- Collaborent au développement du fœtus
- Combattent l'obésité
- Diminuent les risques de cancer, notamment le cancer de la prostate
- Énergétiques et nutritifs
- Préviennent les maladies cardiovasculaires
- Préviennent le diabète
- Réparent le système nerveux

Bon usage

Consommer des haricots de deux ou à trois fois la semaine, c'est faire le plein de fibres et se prémunir efficacement contre les maladies cardiovasculaires.

Précautions

Les haricots secs provoquent de la flatulence qu'il est possible d'éliminer. Faites tremper les légumineuses suffisamment longtemps et dans plusieurs eaux, en les cuisant adéquatement dans une autre eau que celle du trempage.

Achat et conservation

Les haricots secs se gardent longtemps dans des contenants bien fermés, mais on peut aussi les acheter en conserve, car leurs vertus thérapeutiques ne sont pas altérées.

Dans la cuisine

Les légumineuses participent à une multitude de plats, on peut les servir en entrée dans des trempettes, des salades de légumes ou de pâtes, en faire des pâtés, des ragoûts et des potages succulents. On peut même en faire de délicieuses croquettes, mais aussi des pains, des gâteaux et des brioches. Avant de les faire cuire, sauf dans le cas de lentilles qui ne requièrent aucun trempage, il faut les réhydrater en les faisant tremper 4 à 6 heures ou toute la nuit. On les cuit dans l'eau bouillante après les avoir rincées. Leur temps de cuisson varie entre une et deux heures, selon la variété et l'âge des haricots employés.

Recettes

- Burgers aux pois chiches (p. 192)
- Cari de lentilles aux pistaches (p. 193)
- Casserole de haricots rouges et de lentilles (p. 195)
- Casserole de légumes et de pois chiches gratinée (p. 196)
- Chili au tofu (p. 197)
- Chili à l'aubergine (p. 197)
- Quiche au millet, au tofu et aux lentilles (p. 203)
- Soupe aux lentilles (p. 173)
- Soupe aux pois cassés à l'indienne (p. 174)
- Trempette aux pois chiches (p. 160)

Mariage parfait

Toutes les variétés de haricots s'associent bien avec des légumes coupés finement : tomates, poivrons jaunes ou rouges, et oignons verts. Les uns apportent leur protéines, les autres leurs vitamines et leurs minéraux.

Astuces culinaires

Méthode pour réduire le temps de trempage des haricots secs

Mettez les haricots dans l'eau et portez à ébullition. Réduisez le feu et laissez tremper dans cette eau à couvert pendant 1 h. Jetez l'eau, rincez et faites cuire selon le temps de cuisson requis.

Moyens de réduire la flatulence causée par les légumineuses

Notez que plus les haricots sont petits, plus ils seront faciles à digérer.

Voici quelques recommandations à suivre pour éviter les flatulences:

- si vous n'avez pas l'habitude de consommer des haricots secs, allez-y progressivement, en commençant par 75 ml (1⁄3 tasse) à la fois;
- évitez de prendre de l'alcool au cours de votre repas;
- faites tremper les haricots plusieurs heures avant la cuisson et débarrassez-vous de leur eau de trempage;
- faites-les cuire avec de l'ail et du gingembre, de la sauge, du fenouil, du cumin ou de la sarriette et laissez-les mijoter jusqu'à ce qu'ils soient bien cuits;
- mastiquez-les bien et évitez de boire durant le repas;
- ne vous privez pas de boire de l'eau entre les repas;
- ne mangez pas de dessert après un repas de haricots secs.

Bon à savoir

Les légumineuses en conserve ne perdant pas leurs qualités nutritives, elles composent des repas vite préparés et remplacent avantageusement les pommes de terre dans les potages et les plats en sauce. Elle sont aussi un excellent substitut à la viande dans un régime végétarien.

Haricot frais

Qu'il soit vert ou jaune, le haricot possède les mêmes excellentes propriétés nutritives. Faible en gras et en sodium, bien pourvu en potassium, en acide folique, en fibres et en vitamine C, le haricot est une source de fer dont il serait dommage de ne pas profiter.

Bénéfices santé

- Contribue au développement du fœtus
- Combat les infections
- Reconstituant
- Stimule le foie et le pancréas

Bon usage

L'inclure à son menu deux ou trois fois la semaine facilite la digestion et procure des nutriments essentiels à la santé.

Précautions

Il est préférable de ne pas trop cuire les haricots si l'on veut profiter de toutes leurs vertus thérapeutiques.

Achat et conservation

Choisissez des haricots non emballés d'une belle couleur vive, écartant ceux qui sont rabougris, secs ou brunâtres, ou encore trop mous. Plus ils sont fins, plus ils sont tendres.

Si on désire les conserver plus longtemps, on peut les congeler, mais pas trop longtemps, après les avoir blanchis trois minutes.

Dans la cuisine

Ce sont d'excellents légumes d'accompagnement qui ajoutent de la saveur aux potages et aux salades froides. On peut les cuire à l'eau bouillante, à la vapeur ou au micro-ondes.

Recettes

- Haricots frais aux câpres et au citron (p. 182)
- Salade à la niçoise (p. 215)

Mariage parfait

Associez haricots verts et tomates (voir la recette de salade à la niçoise) et vous obtenez une union riche en couleur dont les constituants naturels s'harmonisent. Le carotène et la vitamine E de la tomate complètent bien la concentration minérale du haricot vert. Tous deux sont une excellente source de fibres. Enrichir d'un filet d'huile d'olive relevé d'ail émincé finement et de persil s'avère une protection vasculaire optimale.

Astuce culinaire

La cuisson à la vapeur, à l'aide d'une marguerite, conserve toutes leurs vertus aux haricots. Pour éviter qu'ils soient trop cuits, dès qu'ils sont *al dente*, ce qui requiert environ 15 minutes, enlevez la casserole du feu et retirez le couvercle.

Bon à savoir

Les haricots sont faciles à cultiver et poussent aussi bien dans des pots qu'au potager.

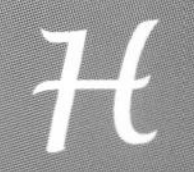

Kiwi

Sa pelure brune, non comestible et garnie d'un fin duvet, si elle ne laisse rien deviner de sa beauté lorsqu'il est tranché, cache un fruit au goût légèrement acidulé et gorgé de vitamine C. Faible en gras et en sodium, le kiwi est bien pourvu en potassium, ce qui en fait un aliment ressource pour les personnes souffrant d'hypertension. Parmi tous les fruits, le kiwi est celui qui présente la plus forte densité d'éléments nutritifs.

Bénéfices santé

- Abaisse le taux de cholestérol
- Combat l'hypertension artérielle
- Dissipe les symptômes du rhume
- Prévient le cancer

Bon usage

Puisqu'on peut se procurer des kiwis toute l'année, il serait vraiment impardonnable de ne pas les inclure dans son alimentation quotidienne. On peut fort bien remplacer le jus d'orange du matin par un kiwi, car il contient davantage de vitamine C.

Précautions

Comme il n'y a aucune contre-indication, on peut se montrer gourmand.

Achat et conservation

Choisissez un fruit sans meurtrissures en évitant ceux qui sont durs ou desséchés. Un fruit mûr dégage une bonne odeur de banane et de limette, et sa chair cède sous la pression du doigt.

Dans la cuisine

Il se consomme nature, et sa belle couleur émeraude se révèle très décorative dans les salades de fruits et les garnitures de tarte et de gâteau. Mais il accompagne aussi avec bonheur les poissons et les viandes grillés.

Recettes

- Boisson d'été aux quatre kiwis (p. 245)
- Salade de papaye, de crevettes et de kiwis (p. 158)

Mariage parfait

Composez une entrée avec de la laitue, des dés de saumon et des rondelles de kiwi, arrosés d'une sauce faite de citron et d'huile d'olive; la vitamine C du kiwi facilite l'assimilation du fer du poisson.

Astuce culinaire

Mélangez les saveurs, garnissez vos salades de légumes ou de pâtes de tranches de kiwi.

Bon à savoir

Le kiwi contient, à poids égal, plus de vitamine C que tous les agrumes : 100 g (3 oz) fournissent l'équivalent de l'apport nutritionnel recommandé pour un adulte.

Laitue et salades

Parmi la multitude de feuillages offerts sur le marché, les laitues les plus nutritives sont celles qui ont une couleur vert foncé. Elles renferment beaucoup de carotène et de vitamine C, et une abondance de minéraux et de substances permettant de lutter contre plusieurs maladies. Elles contiennent très peu de gras, de sodium et de calories, à condition bien sûr de limiter les assaisonnements et les sauces avec lesquels on a l'habitude de les arroser. La laitue, facile à digérer, contient beaucoup de vitamines et possède des vertus qui favorisent le sommeil. La chicorée est recommandée en cas de jaunisse et contient des propriétés toniques, diurétiques, dépuratives, et laxatives. La mâche, très riche en vitamines, est facile à digérer et a une action légèrement laxative. Quant au pissenlit, c'est un très bon diurétique conseillé en cas de diabète, de goutte et de rhumatismes.

Bénéfices santé

- Diminue les risques de cancer
- Favorise la coagulation du sang
- Protège des maladies cardiovasculaires
- Réduit la tension artérielle
- Réduit le taux de mauvais cholestérol
- Soulage de la goutte et des rhumatismes

Bon usage

Pour profiter de la présence de la vitamine K, une vitamine nécessaire à la coagulation du sang, on recommande de consommer de la laitue une fois par jour en quantité maximale de 250 ml (1 tasse) chaque fois.

Précautions

Il vaut mieux laver les laitues avec soin dans plusieurs eaux avant de les consommer et éviter de les laisser tremper si on veut leur conserver leurs précieuses propriétés.

Il faut se méfier de la laitue iceberg qui contient, selon les experts, très peu de vitamines et beaucoup d'eau.

Achat et conservation

Choisissez des feuilles aux couleurs bien franches, croquantes et sans meurtrissures. Évitez les laitues fanées et décolorées. Elles se conservent environ une semaine au réfrigérateur, emballées dans un sac de plastique. Les feuilles tendres du mesclun ou des mélanges printaniers se conservent bien dans des contenants hermétiques après qu'elles ont été lavées, essorées et suffisamment asséchées.

Dans la cuisine

On peut varier à l'infini la composition des salades, soit en combinant les laitues, soit en y intégrant toutes sortes de légumes. Mais on peut aussi y introduire d'autres aliments tels des pâtes, des légumineuses, des noix et des graines, de la viande ou du poisson, des fruits. Chose certaine, il convient de ne pas abuser des vinaigrettes riches en matières grasses et de leur substituer des vinaigrettes simples composées de yogourt, de jus de citron et d'huile de pépins de raisin, ou de vinaigre de cidre et d'huile d'olive. Parmi les laitues que l'on peut se procurer en toutes saisons, notons la boston, tendre et légèrement sucrée, la romaine verte, très croustillante et sucrée, la mâche et la laitue frisée, toutes deux au léger goût de noisette, la chicorée frisée au goût amer, la radicchio, très croquante et amère, la scarole, légèrement amère, la roquette, à la saveur délicieusement piquante, ainsi que les feuilles de chêne, douces, tendres et sans amertume.

Recettes

- Salade à la niçoise (p. 215)
- Salade de fraises, de cantaloup et d'avocat (p. 157)
- Salade de fenouil à l'orange (p. 217)
- Salade de poires aux pistaches et au chèvre (p. 218)

Mariage parfait

Combinez laitue et foie de veau; le fer que contient le foie s'associe à l'acide folique de la salade, deux substances indispensables au maintien des globules rouges.

Astuces culinaires

En lavant la laitue, ajoutez quelques gouttes de vinaigre blanc à l'eau, ce qui permet de déloger les petits insectes ou les vers qui s'y trouveraient encore.

Pour lui conserver sa fraîcheur pendant plusieurs jours, après l'avoir lavée soigneusement, déposez-la dans un sac de plastique résistant avec un oignon épluché coupé en deux. Gonflez le sac et fermez-le hermétiquement.

Conservez les feuilles de laitue flétries et ajoutez-les à vos soupes et à vos bouillons.

Consommer chaque jour une salade contenant des feuilles bien vertes, surtout si elle prend la place d'un repas de viande, est le gage d'une santé resplendissante.

Les feuilles de betterave et les feuilles de radis font également de très bons mariages avec les laitues.

Bon à savoir

On évitera l'oxydation rougeâtre qui détruit la vitamine C en déchirant la laitue au lieu de la couper au couteau, et de ne le faire qu'à la dernière minute.

Lentille

Très riche en sels minéraux – calcium, fer, manganèse, potassium, phosphore, zinc et soufre –, la lentille contient également de la vitamine A, de la thiamine et de la riboflavine, ainsi que de la vitamine C. Sa forte concentration en protéines en fait un aliment complet, véritable plat de résistance pour les travailleurs manuels.

Bénéfices santé

- Digestive et nutritive
- Protège contre les maladies cardiovasculaires
- Réduit le taux de mauvais cholestérol

Bon usage

Un plat de lentilles remplace avantageusement un plat de viande, car il contient moins de gras et plus de fibres. Essayez d'intégrer graduellement les lentilles à votre régime alimentaire, par exemple en remplaçant la viande hachée par des lentilles dans votre sauce à spaghetti préférée (voir notre recette, p. 208). Vous percevrez à peine une différence de goût, la texture de la sauce sera aussi onctueuse et vous vous porterez mieux.

Précautions

On recommande de consommer les lentilles avec modération à cause de la concentration de leurs principes nutritifs.

Achat et conservation

Brune, verte, jaune, orange ou rouge, le choix est vaste. La lentille se conserve plus de six mois dans un contenant hermétique, à l'abri de la lumière.

Dans la cuisine

Les lentilles se prêtent à toutes sortes d'utilisations, elles sont excellentes en salade, dans les potages, combinées au riz ou aux pâtes, et elles font un agréable accompagnement de plats en sauce.

Recettes

- Casserole de haricots rouges et de lentilles (p. 195)
- Petites terrines de lentilles et de champignons (p. 155)
- Soupe aux lentilles (p. 173)
- Tagliatelles à la sauce aux lentilles (p. 208)
- Quiche au millet, au tofu et aux lentilles (p. 203)

Astuce culinaire

C'est la légumineuse passe-partout par excellence : jolie et délicate, elle cuit rapidement et ne requiert pas de trempage.

Bon à savoir

La digestion des légumineuses commence dans la bouche. Pour éviter la flatulence qu'elles suscitent ordinairement, il suffit souvent de bien les mastiquer.

Lin

L'histoire du lin est tout à fait surprenante. Longtemps destiné à toutes sortes d'usages – fibre textile, fabrication de toile et de peintures –, ce n'est que récemment que l'on a commencé à utiliser le lin dans l'alimentation du bétail avant qu'il se révèle étonnamment précieux pour la santé des êtres humains. Car les graines de lin constituent une source d'acide alpha-linolénique, une substance qui fait partie de la famille des acides gras oméga-3. C'est au Québec, grâce à Louis Hébert, l'un des premiers cultivateurs venus d'Europe, que sa culture a pu se développer et se répandre au pays, puis dans le reste de l'Amérique. Le Canada est à présent le premier producteur de graines de lin dans le monde.

Bénéfices santé

- Abaisse le taux de mauvais cholestérol (LDL)
- Augmente le taux de bon cholestérol (HDL)
- Améliore l'humeur
- Diminue les risques de maladies cardiovasculaires
- Favorise la fonction rénale
- Prévient les cancers du sein, de l'utérus, du côlon et de la prostate
- Prévient l'ostéoporose chez les femmes ménopausées
- Soulage de l'arthrite

Bon usage

On recommande d'ajouter tous les jours deux ou trois cuillerées à soupe de graines de lin broyées à des céréales, des yogourts ou des salades de manière à tirer profit des effets protecteurs de cette plante.

Précautions

Pour profiter des avantages des graines de lin, il faut d'abord les broyer, car l'organisme ne parvient pas à concasser la coque dure qui les recouvre. Il semble par ailleurs que la cuisson annule leurs effets bienfaisants.

L'huile de lin ne fait pas l'unanimité chez les spécialistes de la nutrition, certains arguant qu'elle ne contiendrait qu'une faible quantité de lignanes, cette substance guérisseuse qu'on trouve en abondance dans les graines. Par ailleurs, l'huile rancit très rapidement. Il est donc essentiel de la conserver au réfrigérateur et de la consommer rapidement une fois le contenant ouvert.

Les graines de lin entières ne sont pas recommandées aux personnes ayant des diverticules à l'intestin, car elles peuvent se coller à la paroi intestinale et provoquer de l'inflammation.

Achat et conservation

On peut acheter les graines de lin entières, elles se conserveront aisément dans un contenant hermétique placé au congélateur.

Dans la cuisine

Les recettes dans lesquelles on recommande de mélanger les graines de lin à la farine pour confectionner des gâteaux, des pains ou des muffins ne permettent pas malheureusement de préserver les propriétés du lin. Il est pourtant facile d'intégrer le lin à notre alimentation en mélangeant ses graines broyées aux céréales du petit-déjeuner, à des jus ou à des yogourts et des desserts lactés.

Recettes

- Crème *budwig* (p. 137)
- Pâté à tartiner aux graines de lin (sans cuisson) (p. 154)

Astuces culinaires

Faire tremper les graines de lin dans un peu d'eau durant une nuit les rend plus faciles à assimiler.

Comment faire germer les graines

Vous pouvez faire germer les graines de lin, les ajouter à vos salades et en garnir vos sandwiches. Pour faire germer des graines, vous n'avez besoin que d'un bocal d'un litre, d'étamine (coton à fromage), d'un élastique et d'un peu d'eau.

Versez dans le bocal la quantité de graines dont vous avez besoin. Les petites graines comme le lin ne devraient couvrir que le fond. Recouvrez d'eau non chlorée (seulement pour le trempage) et laissez-les tremper une nuit. Le lendemain, recouvrez le sommet du bocal avec un morceau d'étamine que vous fixerez solidement à l'aide d'un élastique. Rincez abondamment les graines et égouttez-les bien. Répétez cette opération deux ou trois fois par jour. Distribuez les graines de façon uniforme dans le bocal et mettez-le à l'ombre.

Au bout de 2 à 3 jours, ou dès que vous verrez poindre les germes, placez le bocal dans un endroit ensoleillé pour que les graines puissent développer de la chlorophylle, source de vitamine A.

Bon à savoir

La graine de lin contient 70 % d'oméga-3, soit plus que l'avocat et plus que les poissons vivant en eau froide néanmoins riches en acide alpha-linolénique.

Plusieurs grands producteurs d'œufs ont, depuis quelques années, ajouté des graines de lin à la moulée de leurs poules, commercialisant ainsi des œufs enrichis d'acides gras oméga-3.

Maïs

Le maïs croquant et sucré que l'on consomme est en réalité une céréale que l'on récolte avant maturité. Riche en fibres, le maïs permet d'abaisser le taux de cholestérol. Sa teneur en glucides fournit de l'énergie rapidement sans matières grasses dommageables. L'huile de maïs, si elle a prouvé qu'elle pouvait abaisser le taux de mauvais cholestérol, a aussi montré hélas! qu'elle abaissait également le taux de bon cholestérol, le HDL.

Bénéfices santé

- Diminue les risques de cancer
- Nutritif et énergétique
- Reconstituant
- Réduit les caries dentaires
- Stimule le tonus énergétique

Bon usage

Consommé de façon modérée une ou deux fois la semaine, le maïs cuit à la vapeur apporte un surplus d'énergie et une dose appréciable de vitamine E.

Précautions

Bon nombre de personnes qui souffrent du syndrome du côlon irritable voient leur symptômes douloureux s'accroître après avoir consommé du maïs. Si tel est votre cas, méfiez-vous des produits alimentaires qui contiennent du maïs, plus particulièrement les céréales; les produits dérivés du maïs et traités industriellement sont responsables de plusieurs allergies.

Achat et conservation

Choisissez des épis bien mûrs en sélectionnant ceux dont les grains sont plus gros et plus juteux et dont le jus est laiteux. Préférez le maïs blanc au maïs jaune, car le premier contient deux fois plus de fibres. Parce que le maïs perd plusieurs de ses propriétés durant l'entreposage, il est préférable de le manger le plus frais possible.

Dans la cuisine

Même si on a l'habitude de faire bouillir le maïs dans de l'eau ou du lait, il reste qu'il est préférable de le cuire à la vapeur pour peu qu'on souhaite profiter de toutes ses vertus thérapeutiques.

Recette

- Soupe de maïs et de quinoa (p. 174)

Astuce culinaire

Un épi de maïs, cuit quelques minutes dans l'autocuiseur ou tout simplement grillé au barbecue ou au four, est un vrai délice.

Bon à savoir

Le pop-corn est bon pour la santé à condition qu'on ne l'arrose pas de beurre fondu et qu'on ne lui ajoute pas de sel.

Mangue

La mangue, ce fruit au goût si rafraîchissant, est le plus consommé dans le monde après la banane et les agrumes; on en compte plus de 500 variétés. Riche en bêta-carotène, en vitamines B et C, en calcium et en potassium, c'est un des fruits qui contient le plus de vitamine A.

Bénéfices santé

- Combat les maladies de peau
- Diminue les risques de maladies cardiovasculaires
- Prévient le vieillissement cellulaire
- Protège contre divers types de cancer

Bon usage

Manger une ou deux mangues par semaine garde l'organisme en santé et conserve à la peau sa souplesse et son élasticité.

Précautions

Parce qu'elle peut causer des irritations à la bouche, il vaut mieux peler la mangue avant de la manger.

Achat et conservation

Une mangue mûre dégage une bonne odeur et cède sous la pression du doigt. Évitez les fruits durs ou ridés. Ne la conservez pas au réfrigérateur, elle a horreur du froid. Si elle n'est pas mûre, laissez-la à la température de la pièce pendant environ une semaine.

Dans la cuisine

Elle est à son meilleur nature et se déguste à la petite cuillère. Coupée en cubes, elle agrémente délicieusement les salades de légumes et de fruits, et accompagne avec délicatesse les crevettes, le porc ou le poulet.

Recettes

- Ananas guacamole (p. 149)
- Lait de soja à la mangue (p. 139)
- Coupe de fruits à la crème de mangue (p. 234)

Mariage parfait

Parsemez de bouchées de mangue un yogourt nature; la forte teneur en vitamines de la mangue enrichit le yogourt, bien pourvu en calcium et en phosphore. Sa saveur douce et peu acide ne nécessite aucun ajout de sucre et propose un dessert particulièrement léger.

Truc beauté

Pilez la chair d'une demi-mangue et recouvrez-en votre visage. Gardez ce masque 30 minutes, pendant que vous dégusterez l'autre moitié.

Bon à savoir

Plus la chair du fruit est foncée, plus sa teneur en vitamine A est importante.

Melon

En plus d'être un fruit succulent, le melon est rempli de substances bénéfiques. Parmi les nombreuses variétés de melon, les plus connues et les plus populaires sont le cantaloup et le melon brodé. Par un heureux effet du hasard, ce sont aussi celles qui possèdent le plus de qualités sur le plan nutritif en raison de leur forte teneur en vitamine C et en bêta-carotène, en sels minéraux et en folates.

Achat et conservation

Choisissez un melon lourd et dépourvu de taches ou de meurtrissures. Comme le melon ne mûrit plus après la récolte, il faut s'assurer de sa maturité: il devrait présenter une légère dépression là où devait se trouver sa tige. Un melon mûr dégage une bonne odeur quand on le sent, mais cette odeur est très prononcée lorsqu'il est trop mûr et sur le point de fermenter. Évitez les melons qui ne dégagent pas de parfum et ceux qui ont une odeur très forte. Et consommez-le rapidement, il ne se conserve pas longtemps.

Bénéfices santé

- Abaisse la tension artérielle
- Anticoagulant
- Apéritif et diurétique
- Combat l'anémie
- Laxatif
- Rajeunissant tissulaire
- Réduit les risques de cancer
- Prévient les cataractes
- Soulage des rhumatismes et de la goutte

Traitement maison

Les personnes souffrant d'hypertension voient leur état s'améliorer lorsqu'elles consomment une tranche de cantaloup avant chaque repas. Elles profitent en outre de ses protections anti-cancérigènes.

Précautions

Le melon est déconseillé aux diabétiques et aux personnes souffrant d'entérite et de dyspepsie.

Dans la cuisine

Les Italiens ont bien raison de servir le melon en entrée, c'est ainsi qu'il procure ses meilleurs bénéfices. Ajoutez-le à vos salades de laitue et de chou, sa couleur et sa saveur les rendront irrésistibles.

Recette

- Cantaloup au chèvre et au porto (p. 151)

Truc beauté

Appliqué quotidiennement sur le visage, un mélange à parts égales de jus de melon brodé, de lait et d'eau distillée combat la peau sèche.

Bon à savoir

Comme la plupart des fruits, il est préférable de consommer le melon avant le repas.

Le sel et le poivre le rendent plus digeste.

Miel

Malgré toutes les propriétés thérapeutiques qu'on lui reconnaît, et cela depuis les temps les plus anciens, le miel est aujourd'hui considéré avec prudence par les spécialistes de la nutrition. Même s'il renferme des enzymes digestives et une petite dose de sels minéraux, sa teneur en vitamines est faible. Et surtout, il contient plus de sucre que le sucre raffiné.

Bénéfices santé

- Accélère la cicatrisation
- Combat les irritations à la gorge
- Diminue la douleur des ulcères
- Élimine les bactéries
- Soulage de la constipation
- Soulage du rhume et des états grippaux

Traitement maison

Pour soulager le mal de gorge, buvez un petit verre d'eau chaude dans lequel vous aurez versé le jus d'un demi-citron et 3 c. à soupe de miel.

Précautions

On ne devrait jamais donner de miel à un nourrisson, car il peut contenir des doses minimes d'un micro-organisme responsable du botulisme.

En outre, bien qu'il ne contienne aucun arôme artificiel, colorant ou agent de conservation, le miel peut renfermer des toxines naturelles et devrait être consommé avec modération.

Achat et conservation

On trouve sur le marché toutes sortes de miel dont la couleur, le parfum et le goût varient selon les fleurs que butinent les abeilles qui le fabriquent. On dit que plus un miel est sombre, plus il a du goût. Il est préférable de consommer du miel cru, non chauffé et non filtré, si on désire profiter de ses propriétés thérapeutiques.

Dans la cuisine

Le miel remplace avantageusement le sucre dans la confection des desserts car il est légèrement moins calorique. Il en faut toutefois moins puisque ses propriétés édulcorantes sont plus élevées.

Recettes

- Bananes à la cannelle et au rhum (p. 233)
- Bière de gingembre (p. 245)
- Mélange de céréales maison (p. 139)

Truc beauté

Appliquez une fine couche de miel sur votre visage avant votre bain et gardez-la jusqu'au moment de vous assécher. Rincez ensuite à l'eau chaude, puis à l'eau froide.

Bon à savoir

Le miel est reconnu pour soulager des douleurs d'estomac. Assurez-vous toutefois de vous procurer le miel Manuka produit en Nouvelle-Zélande qui a montré une efficacité étonnante dans le traitement des ulcères d'estomac. Après avoir administré une c. à soupe de miel quatre fois par jour à des personnes souffrant d'ulcères, des chercheurs ont constaté que toutes avaient été soulagées de leurs symptômes.

Millet

Le millet constitue l'aliment de base de nombreuses populations dans le monde. Cette céréale, particulièrement équilibrée en acides aminés, est riche en phosphore, en fer, en potassium, en manganèse et en niacine. Sa forte concentration en silice aurait un effet positif sur le cholestérol sanguin et sur l'ossature.

Bénéfices santé

- Cicatrisant
- Équilibrant nerveux
- Fortifiant
- Nutritif
- Prévient la formation de calculs biliaires
- Soulage des malaises prémenstruels

Bon usage

Toutes les femmes qui, pour une raison ou pour une autre, désirent diminuer leur consommation de viande, ont intérêt à intégrer le millet dans leur alimentation. Grâce à sa forte concentration en magnésium, le millet est réputé pour soulager de l'inconfort menstruel et contient davantage de protéines que toute autre céréale.

Précautions

Bien que le risque d'allergie soit très faible, il est possible que des personnes qui possèdent des oiseaux en captivité manifestent de graves réactions anaphylactiques en consommant du millet. C'est que le millet sert à nourrir les oiseaux en cage et que leurs propriétaires peuvent développer une sensibilité à la poussière de millet, exacerbée par la consommation de la céréale elle-même.

L'Association canadienne de la maladie cœliaque ne croit pas que le millet puisse causer des problèmes aux gens atteints de cette maladie.

Achat et conservation

Le millet pouvant rancir rapidement, il faut le conserver dans un contenant hermétique dans un endroit sec et froid.

Dans la cuisine

Le millet se cuisine comme le riz (1 tasse de millet pour 2 ¼ d'eau) et peut le remplacer avantageusement comme accompagnement puisqu'il contient presque deux fois plus de protéines.

Recettes

- Burgers au millet (p. 192)
- Millet en cocotte (p. 182)
- Quiche au millet, au tofu et aux lentilles (p. 203)

Astuce culinaire

Lorsque vous faites cuire du millet, remplacez l'eau de cuisson par du jus de pomme, son goût sera plus doux et plus fin.

Bon à savoir

Le millet concassé cuit plus rapidement, mais le millet entier contient plus de nutriments bénéfiques pour la santé.

Navet

Si le navet contient peu de sels minéraux, un peu de potassium, du soufre, du calcium ainsi que de la vitamine C, en revanche il est riche en substances qui inhibent le processus de cancérisation chez les animaux de laboratoire. Tout comme d'autres crucifères, son cousin le rutabaga, un gros navet à chair jaune, contient lui aussi des composés anticancérigènes. Ce sont deux excellents légumes à conseiller à qui souhaite perdre du poids.

Bénéfices santé

- Hypocalorique
- Favorise le transit intestinal
- Réduit les risques de cancer du côlon et du rectum

Bon usage

Consommés crus deux fois la semaine, le navet et le rutabaga constituent une protection contre le cancer.

Précautions

Le soufre que contient le navet peut ralentir la digestion et causer de la flatulence.

Achat et conservation

Choisissez un légume ferme, lisse et lourd, non ridé, dépourvu de meurtrissures. Les fanes du navet au goût légèrement sucré se cuisinent comme les épinards. Elles contiennent du bêta-carotène et de la vitamine C.

Dans la cuisine

Le navet, tout comme le rutabaga, se cuisine de la même façon que la carotte, et donne un goût savoureux aux potages, purées et ragoûts. Cependant, si on veut apprécier toutes ses vertus, il faut le manger cru.

Recettes

- Casserole de légumes et de pois chiches gratinée (p. 196)
- Purée de pommes de terre aux carottes et au rutabaga (p. 184)

Mariage parfait

Garnissez un canard rôti ou un gigot d'agneau de navets mijotés: les navets, peu caloriques, allègent la viande grasse et équilibrent le plat en lui apportant une variété de fibres et de minéraux, particulièrement du soufre, du calcium et du potassium. N'ajoutez pas de gras durant la cuisson, mouillez simplement avec un bon bouillon ou du vin blanc.

Astuce culinaire

Râpez un navet et passez-le à la poêle dans un peu de beurre clarifié. Cuit de cette manière – simple, saine et savoureuse –, il accompagnera avec profit un rôti de bœuf ou un saumon grillé.

Bon à savoir

Le navet est plus digeste lorsqu'il n'est pas trop cuit.

Nectarine

La nectarine, ce fruit dont raffolent les enfants, n'est pas comme on le croit souvent le résultat d'un croisement entre le pêcher et le prunier. C'est une sous-espèce résultant d'une modification génétique naturelle. Elle est riche en vitamine C, en potassium et en fibres. Elle contient du bêta-carotène, une substance que l'organisme transforme en vitamine A et qui protège contre le cancer.

Bénéfices santé

- Aide l'organisme à assimiler le fer
- Collabore au maintien du système immunitaire
- Protège contre le cancer

Bon usage

Deux nectarines bien mûres correspondent à plus de la moitié de la dose nutritionnelle de vitamine C recommandée.

Précautions

On ne connaît aucune contre-indication à ce fruit délicieux.

Achat et conservation

Choisissez un fruit bien ferme et sans meurtrissures, et conservez-le comme la pêche. Gardé à la température de la pièce, il offre l'avantage de mûrir dans la corbeille de fruits. Le brugnon, son proche cousin, possède un noyau qui, contrairement à celui de la nectarine, se colle à la chair. Les deux se vendent le plus souvent sous le vocable de nectarine.

Dans la cuisine

La nectarine se consomme nature et entre dans la préparation de glaces, de sorbets et de tartes sucrées. Mais elle est aussi très savoureuse dans des salades de légumes auxquelles elle confère un goût délicat et une texture onctueuse.

Recette

- Yogourt croustillant aux nectarines (p. 143)

Astuce culinaire

Les nectarines se congèlent bien. Au préalable, prenez soin de les couper en deux, de les dénoyauter et de les faire blanchir deux minutes dans de l'eau citronnée.

Truc beauté

Une crème pour la peau

Comme la chair de la pêche, celle de la nectarine appliquée sur le visage fait une riche crème de beauté.

Bon à savoir

La nectarine est plus riche en vitamine C que sa cousine la pêche.

Noix

Fruit du noyer, qu'on appelle aussi «noix de Grenoble», la noix est très riche en sels minéraux et contient de la vitamine E et des vitamines du groupe B. La noix verte, pour sa part, contient de la vitamine C. Étant toutes deux très caloriques, elles regorgent de substances complexes capables de prévenir les maladies cardiovasculaires.

Bénéfices santé

- Abaisse le taux de cholestérol
- Antidiarrhéique et laxative
- Prévient les maladies cardiovasculaires
- Protège contre le cancer

Bon usage

Lorsque vous entrevoyez un journée exigeant un surcroît d'efforts physiques, essayez cette recette tonifiante. Dans un mélangeur, versez un verre de jus de fruits de votre choix auquel vous ajouterez une poignée de noix, puis mixez. Mais n'en abusez pas et ne vous régalez pas de cette boisson tous les jours, surtout si vous avez quelques kilos en trop.

Précautions

Comme tous les oléagineux, les noix sont susceptibles de provoquer des allergies.
Parce qu'elles sont très riches en gras, elles doivent être consommées en petites quantités, surtout si on les substitue progressivement à d'autres aliments caloriques.

Achat et conservation

On peut se procurer des noix décortiquées, hachées ou moulues. Il est préférable de les acheter dans des magasins qui offrent un bon roulement du produit, car elles rancissent rapidement. Choisissez des noix lourdes en fonction de leurs dimensions et conservez-les dans un contenant hermétique, au frais et à l'abri de la lumière. Entières, elles se congèlent très bien et il n'est pas nécessaire de les décongeler avant de les utiliser.

Dans la cuisine

Les noix ajoutent leur saveur aigre-douce aux légumes sautés et aux salades, et en font de véritables repas. Elles entrent dans la composition de délicieux desserts, et ajoutent du goût et des lipides aux plats de tofu et de céréales.

Recette

- Pâté à tartiner aux champignons et aux noix (p. 154)

Mariage parfait

Ajoutez des noix à vos recettes de pains ou de muffins : la noix améliore les apports en minéraux du pain – calcium, fer, magnésium, soufre, zinc –, qui sont généralement absents de sa propre composition.

Astuce culinaire

On peut fabriquer soi-même un savoureux beurre de noix (voir recettes complémentaires Comment préparer un beurre de noix (p. 247).

Bon à savoir

Les noix et les amandes contiennent plus de vitamine E que tous les autres aliments, excepté les huiles alimentaires.

Noix de coco

Fruit du cocotier, la noix de coco est plutôt faible en sels minéraux et en vitamine E, lorsqu'on la compare aux autres noix. En revanche, elle contient beaucoup de fibres qui en font un aliment santé apprécié. En raison de sa forte concentration en gras saturés qui l'empêchent de rancir, on l'utilise couramment dans l'industrie alimentaire.

Bénéfices santé

- Diurétique et laxative
- Favorise l'assimilation des gras alimentaires
- Protège contre les maladies cardiovasculaires

Bon usage

Pour profiter des bienfaits de la noix de coco, il vaut mieux la consommer en flocons non sucrés.

Précautions

Plus riche en gras saturés que la plus calorique des viandes ou des noix, la noix de coco doit être consommée modérément.

Achat et conservation

On peut se procurer de la noix de coco séchée, sa forme la plus populaire. Fraîche, choisissez une noix ayant encore son eau de coco. Pour s'en assurer, il suffit de secouer la noix et… de tendre l'oreille. La noix de coco se conserve à la température de la pièce un ou deux mois. La pulpe fraîche et l'eau de coco se conservent au réfrigérateur.

Dans la cuisine

La noix de coco râpée donne goût et texture à de nombreux desserts, tandis que le lait de coco (voir recette ci-contre), une préparation grasse et riche faite à partir de la chair de la noix, parfume délicieusement les caris, les riz et les fruits de mer.

Recettes

- Crème caramel au lait de coco (p. 235)
- Mélange de céréales maison (p. 139)

Astuce culinaire

Voici la meilleure manière de «peler» la noix de coco. Percez d'abord l'un des trois yeux et videz la noix de son jus. Déposez ensuite la noix dans un four chauffé à 350 °F (180 °C) et faites-la chauffer une quinzaine de minutes. Il suffira ensuite, une fois la noix sortie du four, de la frapper sous la coque avec un marteau. Le fruit s'ouvrira comme par magie.

Bon à savoir

Comment faire du lait de coco

Pour faire du lait de coco, passez au mélangeur 1 tasse (125 g) de pulpe râpée de noix de coco et 2 tasses (250 ml) d'eau bouillante. Laisser refroidir ce mélange avant de le filtrer dans un coton à fromage (étamine). En le laissant reposer, on remarquera un dépôt qui se forme à la surface, qu'on appelle crème de coco. Ce lait se conserve un ou deux jours au réfrigérateur, mais peut aussi se congeler.

Oignon

Aliment vénéré depuis les temps anciens pour l'infinie variété de ses propriétés thérapeutiques que l'on croyait miraculeuses, l'oignon demeure encore aujourd'hui l'un des bulbes les plus réputés pour éloigner les maladies infectieuses et se garder en bonne santé. À l'instar de l'ail, c'est un puissant antibiotique naturel. Riche en vitamines et en sels minéraux, il contient en outre une forte concentration de composés sulfurés qui peuvent freiner le développement de cellules cancéreuses.

Bénéfices santé

- Abaisse le taux de glucose sanguin
- Abaisse le taux de LDL (le mauvais cholestérol)
- Augmente et stimule le taux de HDL (le bon cholestérol)
- Combat l'inappétence (manque d'appétit)
- Décongestionne les bronches et traite les problèmes respiratoires
- Détruit les bactéries
- Diminue l'inflammation
- Favorise la pousse des cheveux
- Fluidifie le sang
- Freine le développement de cellules cancéreuses
- Prévient l'athérosclérose
- Retarde la coagulation
- Stabilise le sucre sanguin

Bon usage

On devrait consommer de l'oignon tous les jours. À titre d'exemple des bienfaits qu'il procure, une moitié d'oignon cru réussit à élever de 30 % le taux de HDL. Une cuillerée à soupe d'oignons cuits consommés après un repas riche en gras empêche le sang d'épaissir. Cependant, ses vertus sont à leur meilleur lorsqu'il est consommé cru.

Traitements maison

Boisson antirhumatismale

Faites bouillir durant 15 minutes 3 oignons, coupés mais non pelés, dans 1 litre d'eau; filtrez et conservez au réfrigérateur. Buvez un verre au lever et au coucher

Sirop contre les maux de gorge

Faites bouillir pendant 5 à 10 minutes 3 oz (100 g) d'oignon haché dans 1 tasse (250 ml) d'eau. Filtrez, ajoutez 1 c. à soupe de miel et faites mijoter jusqu'à l'obtention d'un sirop épais. Prenez de 4 à 6 c. à thé par jour.

Cataplasme pour soulager des brûlures mineures

Mélangez de l'huile végétale à de l'oignon cuit et appliquez sur la brûlure.

Précautions

L'oignon est un des aliments auxquels on reconnaît peu d'effets négatifs, mais il causerait des migraines chez certains sujets sensibles.

Achat de conservation

Plusieurs variétés d'oignons sont disponibles : les oignons doux, les oignons rouges, les jaunes, les blancs. Choisissez des oignons exempts de germe. Ils se conservent plusieurs semaines dans un endroit sec, à l'abri de la lumière.

Dans la cuisine

L'oignon, comme d'ailleurs tous les membres de sa famille, l'échalote, la ciboule, la ciboulette, l'ail et l'oignon vert, est un aliment qui donne toute sa saveur et ses vertus à une multitude de mets. L'oignon vert est un bulbe d'oignon jaune cueilli avant maturité, tandis que l'échalote se distingue par sa saveur plus fine. Sans l'oignon et ses cousins, on a peine à imaginer ce que goûteraient les bouillons, potages, salades, marinades, vinaigrettes, pâtés à tartiner, purées, pains de viande, gratins, plats en sauce et ragoûts.

Recettes

- Chili à l'augergine (p. 197)
- Millet en cocotte (p. 182)
- Potage au brocoli (p. 167)
- Potage au panais et aux courgettes (p. 169)
- Ratatouille niçoise (p. 155)
- Soupe à l'oignon aux petits goémons (p. 172)
- Soupe aux lentilles (p. 173)
- Tagliatelles à la sauce aux lentilles (p. 208)

Mariage parfait

Recouvrir la soupe à l'oignon de fromage et de croûtons, et la faire gratiner au four est une savoureuse manière de fournir à ce plat du calcium (fromage) et des glucides complexes (croûtons). En outre, le fructosane de l'oignon procure à ce plat un effet diurétique.

Astuce d'entretien

Pour nettoyer les couteaux et supprimer la rouille sur les ustensiles de cuisine, frottez-les avec un morceau d'oignon.

Bon à savoir

Quelque 44 millions de tonnes d'oignons sont produits annuellement dans le monde, ce qui place ce légume au second rang de la production de produits maraîchers, immédiatement après la tomate.

Des chercheurs grecs ont récemment découvert que l'oignon perdait à la cuisson une bonne partie de ses propriétés antioxydantes.

L'échalote possède des vertus qui lui sont propres. Une seule cuillerée à soupe d'échalote hachée contient une forte dose de vitamine A, capable de fortifier le système immunitaire tout en le protégeant contre différents problèmes de la vue liés au vieillissement, comme les cataractes et la cécité nocturne.

Oléagineux

À l'exception des cacahuètes, les oléagineux sont des fruits qui proviennent des arbres. On les regroupe plus communément sous le terme de noix, au risque de les confondre avec le fruit du noyer, que l'on appelle aussi noix de Grenoble. Presque aussi riches en protéines que la viande et le poisson, les oléagineux les remplacent dans plusieurs régimes alimentaires. Cependant, les acides aminés qu'ils renferment sont nettement moins équilibrés que ceux que contiennent les produits d'origine animale. Parmi les fruits oléagineux les mieux connus, mentionnons l'amande, riche en vitamine E et en fibres; la noix du Brésil, riche en gras saturés et en sélénium mais exempte de cholestérol; la châtaigne, qui contient peu de matières grasses; la noix de cajou, abondamment employée dans la cuisine asiatique; la noix de coco (voir p. 78); la noisette, riche en vitamine E et la plus digeste de tous les oléagineux; la noix de macadamia; la cacahuète, qui offre la plus haute teneur en protéines; la noix de pécan; le pignon, fruit du pin parasol; et la pistache, très riche en fibres.

Bénéfices santé

- Abaissent le mauvais cholestérol (LDL) sans nuire au bon cholestérol (HDL)
- Aident à lutter contre le cancer
- Améliorent la santé des os
- Favorisent le transit intestinal
- Préviennent les maladies cardiovasculaires

Bon usage

Consommer douze amandes par jour comme collation constitue une bonne source de magnésium, qui participe à la minéralisation osseuse, à la construction des protéines, à la contraction musculaire, à la transmission de l'influx nerveux, à la santé dentaire et au fonctionnement du système immunitaire. De plus, ce coupe-faim serait particulièrement intéressant pour les femmes ménopausées parce qu'il peut élever les taux d'œstradiol et de testostérone dans l'organisme, et réduire la perte de calcium et de magnésium dans l'urine.

Consommer des noix en petites quantités en diminuant des aliments gras moins sains comme les biscuits et les croustilles ou autres amuse-gueule est une excellente manière de profiter de leurs bienfaits.

Précautions

Très caloriques, les oléagineux doivent être consommés modérément, principalement pour remplacer des aliments gras peu bénéfiques sur le plan nutritif.

L'arachide peut provoquer une allergie très grave pouvant aller jusqu'à l'étouffement et, dans certains cas, causer la mort.

Achat et conservation

La plupart des oléagineux sont vendus dans leur coquille, mais on peut s'en procurer qui ont été coupés, hachés, moulus ou grillés. Comme ils rancissent rapidement dès qu'ils sont débarrassés de leur coquille, il vaut mieux les conserver au congélateur. Choisissez des fruits lourds pour leur taille et achetez-les dans des magasins qui ont un débit de vente important.

Dans la cuisine

Les oléagineux, en plus d'entrer dans la composition d'entrées, de salades, de caris et de ragoûts, de riz, de couscous et de pâtes, constituent de précieux ingrédients dans les desserts.

Recettes

- Champignons farcis (p. 152)
- Comment préparer un beurre de noix (p. 247)
- Crème *budwig* (p. 137)
- Linguines aux amandes (p. 201)
- Muffins aux amandes (p. 142)
- Potage aux épinards et aux pacanes (p. 170)
- Quiche au millet, au tofu et aux lentilles (p. 203)
- Riz au cari et aux pistaches (p. 184)

Astuce culinaire

Composez une chapelure riche et savoureuse en mixant au moulin électrique un mélange de pacanes et de craquelins de riz ou de seigle. Assaisonnez de coriandre, de menthe et de cumin avant d'en enrober des filets de poisson que vous aurez trempés dans l'œuf battu au préalable et que vous ferez revenir dans un fond d'huile ou de beurre clarifié.

Pour que les noix expriment toutes leurs saveurs, il faut les faire griller. Disposées en une seule couche sur une plaque à cuisson, elles seront prêtes à être pelées au bout d'une vingtaine de minutes dans un four à 180 °C (350 °F). Il suffira ensuite de les placer sur un linge et de frotter doucement pour que leur peau se détache.

Bon à savoir

Les huiles de noix entrent dans la composition de vinaigrettes raffinées.

Olive

Fruit savoureux de l'olivier, l'olive est riche en matières grasses et semble pouvoir transmettre les secrets de la longévité de l'arbre dont elle provient, rabougri, étonnamment robuste et, selon plusieurs, pratiquement immortel. Elle contient des vitamines et des sels minéraux en abondance tels le potassium et le calcium. C'est toutefois son huile qui possède des qualités dont les Anciens ont largement profité au cours des siècles; aujourd'hui, grâce à diverses recherches menées en Crète et dans les régions de la Méditerranée, on a découvert que l'huile d'olive pouvait diminuer les risques de maladies cardio-vasculaires et de cancer du sein.

Bénéfices santé

- Apéritive
- Augmente le taux de bon cholestérol, le HDL
- Diminue les risques de cancer du sein (huile)
- Diminue la tension artérielle (huile)
- Laxative
- Protège contre les maladies cardiovasculaires (huile)
- Réduit le taux de mauvais cholestérol, le LDL (huile)

Traitement maison

1 à 3 c. à soupe d'huile d'olive extra vierge de première pression à froid, prise à jeun le matin, favorise l'évacuation de calculs, abaisse la tension artérielle et élimine le mauvais cholestérol. Pour amorcer ce traitement en douceur, nous vous suggérons de commencer par 1 c. à soupe pendant quelques jours avant de passer à 2, puis, aussi graduellement, à 3 c. à soupe.

Précautions

Les olives, très riches en sel, doivent être dégustées avec modération.

Une consommation excessive d'huile d'olive peut provoquer la diarrhée. Encore ici, la modération est la meilleure des précautions.

Les personnes sujettes aux hémorragies devraient en faire un usage prudent.

Achat et conservation

Les olives sont généralement vendues marinées et se conservent donc aisément. L'huile d'olive pour sa part requiert un entreposage à l'abri de la lumière et d'une durée limitée. L'huile d'olive extra vierge de première pression à froid est la meilleure à tous points de vue. On peut se fier à sa couleur : plus celle-ci est sombre, plus son goût sera prononcé.

Dans la cuisine

Les olives noires que l'on trouve sur le marché sont souvent des olives vertes récoltées avant d'avoir atteint leur pleine maturité et qui ont pris une teinte plus foncée au cours du processus de vieillissement, au contact de l'oxygène ou d'autres éléments ajoutés à la marinade. Les olives noires récoltées à maturité sont généralement ridées.

Qu'elles soient vertes ou noires, les olives décorent et parfument agréablement les sauces et les ragoûts de viande, et leur saveur se remarque dans les salades et les hors-d'œuvre chauds ou froids. L'huile d'olive, qui est l'une des meilleures huiles de cuisson, permet de confectionner des vinaigrettes savoureuses excellentes pour la santé.

Recettes

- Fenouil braisé à la sauce tomate (olives) (p. 181)
- Pâtes courtes à l'anchoïade (olives) (p. 202)
- Pizza jardinière au saumon (olives) (p. 202)
- Salade à la niçoise (olives) (p. 215)
- Salade de pâtes potagère (olives) (p. 217)
- Salade grecque (p. 218)
- Vinaigrette aux mille vertus (huile d'olive) (p.227)

Astuce culinaire

Placez des dés de fromage de chèvre secs dans un bocal à conserve en alternance avec du thym ou d'autres herbes de votre choix et recouvrez d'huile d'olive. Mettez au réfrigérateur durant un mois avant de servir en hors-d'œuvre ou dans une salade de pâtes ou de légumineuses.

Truc beauté

Saviez-vous que l'huile d'olive peut freiner la chute des cheveux? Massez délicatement votre cuir chevelu à l'aide d'une ou deux cuillerées à soupe d'huile d'olive. Couvrez ensuite vos cheveux d'un bonnet en plastique et d'une serviette durant une trentaine de minutes avant de les rincer. Si vous n'aimez pas son odeur, ajoutez-lui quelques gouttes d'une huile essentielle de jasmin ou de lavande.

L'huile d'olive fait également un excellent démaquillant qui hydrate la peau du visage.

Bon à savoir

Une étude menée auprès de 5 000 Italiens a montré que ceux qui consommaient régulièrement de l'huile d'olive avaient une tension artérielle de trois à quatre points moins élevée que ceux qui consommaient moins d'huile d'olive ou du beurre.

Orange

Est-ce parce qu'il est rond et de la couleur du soleil que le fruit juteux et savoureux de l'oranger contient autant de propriétés favorables à la santé ? Il constitue une généreuse source naturelle de vitamine C, laquelle possède nombre de vertus protectrices comme celles de lutter contre les agressions bactériennes et virales. Mais en plus de combattre le rhume et la grippe, l'orange, grâce à d'autres substances complexes qu'elle contient, serait également très efficace pour enrayer les maladies cardiovasculaires et inhiber certains types de cancer.

Bénéfices santé

- Antihémorragique
- Anti-infectieuse
- Apéritive et tonique
- Diminue les risques d'accident vasculaire
- Lutte contre différents types de cancer
- Purifie le sang
- Protège les tissus vasculaires
- Rajeunit les cellules et les téguments
- Renforce les défenses naturelles
- Soulage de l'asthme
- Soulage des maladies rhumatismales

Bon usage

Boire un verre de jus d'orange fraîchement pressé chaque matin constitue une formidable protection contre diverses infections, car ce jus renferme autant de vitamine C que le fruit lui-même lorsqu'il est bu tout de suite après qu'on l'a extrait.

La consommation quotidienne d'oranges fortifie tout l'organisme, purifie le sang et agit comme un antiseptique interne.

Pour profiter de la protection artérielle de l'orange, il faut la consommer entière, avec sa pulpe et ses membranes, celles-ci contenant la pectine qui assure cette protection.

Précautions

L'orange peut provoquer un trouble appelé syndrome d'allergie buccale qui se manifeste par des sensations de brûlures ou de démangeaisons dans la bouche et la gorge. Cette allergie est rare et ses symptômes disparaissent rapidement dès que le sujet cesse de consommer des oranges.

Achat et conservation

Les oranges que l'on trouve le plus couramment en Amérique proviennent de Floride et de Californie. Elles se conservent plus d'une semaine à la température de la pièce et encore davantage au réfrigérateur.

Dans la cuisine

L'orange est un autre fruit qui se sert aussi bien en entrée qu'au dessert. On la coupe en tranches fines ou on la détaille en quartiers dans les salades de laitue, on l'ajoute aux tartes, aux crèmes, aux sorbets et aux gâteaux. Son jus parfume aussi très agréablement les plats sautés ou mijotés, composés de viandes ou de poissons, les grillades, le riz et le couscous, les vinaigrettes et les marinades, tout comme son écorce râpée, le zeste, qui se prête à autant d'usages gourmands.

Recettes

- Asperges à la sauce au cari et à l'orange (p. 150)
- Boisson à l'orange et aux cerises (p. 135)
- Coupe apéritive aux trois fruits (p. 137)
- Linguines aux amandes (p. 201)
- Salade de fenouil à l'orange (p. 217)
- Sauce aux canneberges, à l'orange et au gingembre (p. 225)

Mariage parfait

Composez une salade faite d'oranges, de bananes et de dattes; l'orange apporte la vitamine C, tandis que la banane et les dattes complètent en glucides, en fibres et en magnésium.

Astuce culinaire

Pour éplucher facilement une orange, faites-la tremper quelques minutes dans de l'eau bouillante hors du feu.

Truc beauté

Tout comme la fraise, la pêche, la mangue et le melon, l'action de l'orange repose les traits et retarde les rides. Appliquer quelques tranches d'orange sur votre visage 15 à 20 minutes tous les soirs avant le coucher vous donnera une peau saine et resplendissante.

Trucs d'entretien

Pour redonner de l'éclat à vos sacs ou à vos chaussures en cuir, frottez-les avec une écorce d'orange et passez-les au chiffon doux.

Déposez une orange piquée de clous de girofle dans vos armoires ou vos tiroirs, elle les protégera contre les mites.

Quelques écorces d'orange déposées dans un four chaud mais éteint après la cuisson parfumeront agréablement votre intérieur.

Bon à savoir

Les jus d'orange traités et commercialisés ne procurent pas autant de bénéfices que les jus frais. Des recherches récentes ont prouvé que ceux que l'on peut obtenir dans les supermarchés sont dénués de substances antivirales.

Orge

On consomme l'orge depuis la nuit des temps, c'est la plus ancienne céréale cultivée. Jadis utilisée comme fortifiant, d'un goût plus robuste que le riz ou l'avoine, elle se présente sous plusieurs formes et renferme bon nombre de nutriments bénéfiques. Dans les régions du monde qui l'utilisent depuis longtemps comme denrée de base, notamment le Moyen-Orient et certains pays d'Asie, on a observé un taux très faible de maladies cardiaques.

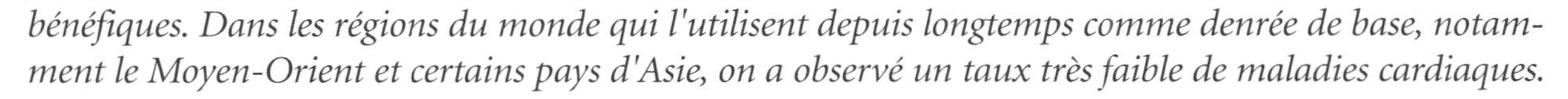

Bénéfices santé

- Améliore la digestion
- Empêche la formation de caillots sanguins
- Fortifiant et diurétique
- Prévient la constipation
- Protège contre le cancer
- Réduit le mauvais cholestérol sanguin

Traitement maison

Bue en infusion ou employée comme gargarisme, une décoction d'orge peut soulager des douleurs à la gorge et calmer la toux. Faites bouillir 1 oz (30 g) d'orge mondé dans 1 litre d'eau durant 20 minutes, filtrez et buvez une demi-verre au besoin.

Précautions

Bien que l'orge entre dans la fabrication de la bière, il ne faut pas croire que celle-ci en conserve tous les avantages, car ses propriétés thérapeutiques sont perdues au cours des différentes opérations de transformation de la céréale.

Achat et conservation

Parmi les différentes formes sous lesquelles l'orge se présente: orge mondé (graine débarrassée de son enveloppe), orge perlé (graine débarrassée de son écorce, blanchie et polie mécaniquement), gruau (farine brute séchée), flocons d'orge (partie restante après que l'orge a perdu son enveloppe), malt (orge germé utilisé dans l'industrie alimentaire), le meilleur choix sur le plan nutritif est sans contredit l'orge mondé qui possède une forte teneur en fibres, en sels minéraux et en thiamine.

Dans la cuisine

Le goût prononcé de l'orge se marie harmonieusement avec les ragoûts de viande et les potages d'hiver, et cette céréale entre dans la composition de délicieuses farces à volaille.

Recettes

- Casserole d'orge gratinée (p. 194)
- Terrine d'orge mondé (p. 209)

Astuce culinaire

Sachant que l'orge augmente de quatre fois son volume au cours de la cuisson, prévoyez une petite quantité de céréale et une casserole suffisamment grande pour la cuisson.

Bon à savoir

Moins l'orge a subi de transformations, plus ses propriétés curatives sont conservées. Il est donc préférable de la consommer sous forme de grains entiers ou de farine dont on fera du gruau, ou encore en flocons comme on en trouve dans les magasins d'aliments naturels.

Pamplemousse

Ce beau fruit juteux est le fidèle allié des personnes vigoureuses et en bonne santé. À l'instar des autres agrumes, le pamplemousse est riche en vitamines A et C et en sels minéraux, mais il contient aussi des substances qui lui sont propres et qui contribuent à diminuer les risques de maladies cardiovasculaires et de cancers. Des recherches ont révélé que la pectine que renferme le pamplemousse annule les effets néfastes d'une alimentation trop riche en gras.

Bénéfices santé

- Antihémorragique et apéritif
- Atténue les risques de cancer
- Digestif et diurétique
- Favorise la cicatrisation des plaies
- Réduit le taux de cholestérol sanguin
- Soulage des symptômes du rhume

Traitements maison

Les personnes affaiblies, enrhumées ou souffrant d'anémie tireront nombre d'avantages d'un verre de jus de pamplemousse bu trois fois par jour avant les repas.

Avis aux insomniaques, le jus d'un pamplemousse bu au coucher favorise le sommeil.

Avant de faire bombance ou de consommer un repas riche, pelez l'un de ces beaux fruits roses et dégustez-le; vous éviterez ainsi d'engorger vos artères.

Précautions

Le pamplemousse et son jus (frais ou congelé) contiennent des substances qui peuvent agir sur la manière dont l'organisme assimile et transforme certains médicaments. Si vous prenez des médicaments, abstenez-vous d'en consommer avant d'avoir communiqué avec votre médecin ou votre pharmacien.

Un pamplemousse que l'on coupe en deux pour l'évider perd beaucoup de ses propriétés, la moitié de la pectine demeurant dans sa pelure. Pour absorber un maximum de nutriments, il faut peler le fruit et le manger en quartiers.

Achat et conservation

Choisissez un fruit lourd et ferme. Tenant compte du fait que le pamplemousse rose contient davantage de lycopènes, un antioxydant puissant capable de neutraliser les radicaux libres, vous ferez un meilleur choix en allant du côté des variétés les plus roses et les plus colorées, soit le Ruby Red, le Ruby et le Star Ruby.

Dans la cuisine

Le pamplemousse accompagne bien les salades, les viandes et, combiné à d'autres fruits, il compose d'excellents desserts.

Recette

- Coupe apéritive aux trois fruits (p. 137)

Mariage parfait

Composez une entrée apéritive en présentant des tranches d'avocat et des quartiers de pamplemousse; la légèreté du pamplemousse est compensée par la richesse en lipides de l'avocat. Assaisonnez ensuite de jus de lime et d'herbes fraîches (basilic, coriandre, menthe).

Astuce culinaire

On peut neutraliser le goût acide du pamplemousse en le mélangeant à des agrumes plus sucrés, des oranges et des clémentines par exemple, ou à d'autres fruits.

Dans un mélangeur, déposez des quartiers de pamplemousse et le jus de deux oranges et de deux clémentines, puis mixez. Ajoutez ensuite une vingtaine de fraises et mixez de nouveau.

Truc beauté

Le jus de pamplemousse, plutôt faible en pectine, ne réduit pas le taux de cholestérol dans le sang.

Pour profiter de ses vertus, il faut consommer le fruit entier, y compris les membranes qui réunissent ses quartiers.

Le pamplemousse rose ne contient pas plus de vitamine C que le blanc, mais sa teneur en bêta-carotène est deux fois plus élevée.

Bon à savoir

Le régime pamplemousse

Dans ce régime, tous les aliments sont interdits, sauf le pamplemousse. Il est vrai que ce fruit apporte très peu de calories. Cependant, l'idée selon laquelle son acidité aurait le pouvoir de faire fondre le gras est fausse. Après quelques jours de ce régime, les besoins en énergie de l'organisme seront nettement diminués et le retour à une alimentation normale aboutira à une reprise pondérale foudroyante.

Panais

Cousine de la carotte et du persil, cette plante à racine au goût légèrement sucré possède plus d'atouts que son aspect le laisse soupçonner. Peu calorique et très nutritif, riche en sels minéraux et en fibres insolubles, le panais est un aliment tout désigné pour les personnes souffrant d'embonpoint.

Bénéfices santé

- Diminue les risques de cancer du côlon
- Facilite la digestion
- Protège contre les malformations congénitales
- Soulage des rhumatismes

Bon usage

Un potage composé de panais, de poireaux et d'oignons constitue un bon moyen de profiter des nombreux bienfaits de ces trois plantes, toutes excellentes pour renforcer l'organisme et lutter contre le cancer.

Précautions

Une surconsommation de panais, – ce qui doit être considéré comme une rareté étant donné son peu de popularité – peut provoquer un excès de coumarine, une substance contenue dans le panais qui rend la peau d'une extrême sensibilité à la lumière du soleil.

Achat et conservation

Choisissez un légume ferme, pas trop gros, lisse et sans meurtrissures. Débarrassé de ses fanes et de sa tige, il se conserve environ deux semaines au réfrigérateur, dans un sac perforé.

Dans la cuisine

Cru ou cuit, il s'apprête comme la carotte, compose de croquants hors-d'œuvre, parfume les potages, les purées et les ragoûts. Toutefois, il vaut mieux le peler après la cuisson si on souhaite lui conserver toutes ses vertus.

Recettes

- Carotte et panais aux petits goémons (p. 151)
- Plantains au panais et à la coriandre (p. 183)
- Potage au panais et aux courgettes (p. 169)

Astuce culinaire

Il est meilleur au goût après les premières gelées, car le froid transforme son amidon en sucre. Plus on le conserve longtemps, plus son goût s'adoucit.

Bon à savoir

Une portion de 150 g (5 oz) de panais renferme 400 mg de potassium, 16 % de la valeur quotidienne recommandée.

Papaye

La chair juteuse et sucrée du fruit du papayer, qui s'apparente au melon et à la pastèque, est particulièrement riche en vitamines A, B et C, en sels minéraux et en bêta-carotène. Cependant, c'est pour ses propriétés digestives qu'on l'apprécie le plus, particulièrement en pharmacie où la substance qu'elle renferme, la papaïne, est abondamment utilisée pour fabriquer des pommades ou élaborer des médicaments facilitant la digestion.

- Digestive
- Diminue les risques de maladies cardiovasculaires
- Raffermit la peau

Bon usage

Les personnes affaiblies par la maladie ou les gens âgés apprécieront d'autant plus ses qualités nutritives et digestives que sa chair est facile à avaler. Cuite ou crue, mélangée à d'autres fruits rafraîchissants, elle constitue une excellente entrée.

Précautions

Consommée mûre, la papaye possède une chair tendre et fondante, très bien tolérée.

Cependant, les personnes au système digestif délicat préféreront la consommer en coulis, après l'avoir passée au mélangeur.

Achat et conservation

Elle est mûre quand elle cède sous une légère pression du doigt. Si elle a besoin de mûrir, il vaut mieux la laisser à la température ambiante. Lorsqu'on veut accélérer le processus, il suffit, comme pour l'avocat, de l'envelopper dans un sac en papier.

Dans la cuisine

Elle se mange crue comme le melon, mais quand elle est encore verte, on peut la faire bouillir ou la faire cuire dans du jus de fruits et la servir en compote.

Recette

- Salade de papaye, de crevettes et de kiwis (p. 158)

Astuce culinaire

Les graines noires que renferme le fruit ont une saveur poivrée très agréable et peuvent être employées pour remplacer des câpres dans la cuisine. Pour les conserver, il suffit de les placer dans un bocal, de les recouvrir de vinaigre de cidre et de les garder au réfrigérateur. On peut aussi les laver, les assécher, les broyer et s'en servir comme du poivre.

Bon à savoir

La papaïne, la substance laiteuse que renferme le fruit, est connue depuis longtemps des Africains, qui s'en servent pour attendrir les viandes avant la cuisson.

Patate douce

Légume tubercule vivace ayant peu à voir avec la pomme de terre ou l'igname, la patate douce est riche en vitamines A, B_6, C et E, en sels minéraux, et sa teneur en bêta-carotène est très élevée. Elle représente donc une protection efficace contre les maladies cardiovasculaires et différents types de cancer. Parce qu'elle est bourrative sans être trop calorique, elle constitue un aliment de choix pour les diabétiques ou les personnes qui doivent surveiller leur poids.

Bénéfices santé

- Abaisse le taux de sucre dans le sang
- Contribue à renforcer la mémoire
- Diminue les risques de cancer
- Nettoie l'organisme et stimule le cerveau

Bon usage

En raison de ses nombreux bienfaits, la patate douce remplace avantageusement la pomme de terre et accompagne les plats de viande et de poisson.

Précautions

Le bêta-carotène ayant besoin de matières grasses pour traverser la paroi de l'intestin, il convient de manger un peu de gras avec la patate sucrée au cours d'un même repas si on veut profiter de ses vertus protectrices.

Achat et conservation

Choisissez un légume orangé; comme pour tous les légumes renfermant du bêta-carotène, la teinte doit être d'une couleur vive et soutenue. Ferme et lisse, dépourvue de taches ou de meurtrissures, la patate douce craint le réfrigérateur mais peut se conserver un mois dans un endroit frais (entre 7° et 14 ° C), à l'abri de la lumière.

Dans la cuisine

Elle se cuit comme la pomme de terre, se consomme bouillie, frite, en purée, en salade, dans les potages et les ragoûts. Comme elle est sucrée, elle entre aussi dans la composition de gâteaux et de desserts.

Recettes

- Casserole de légumes et de pois chiches (p. 196)
- Tourte indienne au riz et à la patate douce (p. 186)

Astuce culinaire

Pami les variétés à chair crème ou orange, préférez une patate ayant une belle couleur orangée, source de bêta-carotène.

Bon à savoir

Une portion de 115 g de patate douce contient 28 mg de vitamine C, soit près de la moitié de la valeur quotidienne recommandée.

Pêche

Le fruit juteux et parfumé du pêcher est riche en vitamine A, en sels minéraux et en bêta-carotène. Tendre et peu calorique, il renferme une bonne quantité de fibres et se digère facilement.

Bénéfices santé

- Digeste et tonique
- Favorise le transit intestinal
- Protège contre les maladies cardiovasculaires

Bon usage

Comme collation, remplacer les barres tendres de fabrication commerciale par une pêche bien mûre s'avère un choix santé.

Précautions

Pour en prolonger la conservation, la pêche est très souvent enduite d'une fine pellicule de cire. Si on veut en consommer la peau, il faut laver soigneusement le fruit.

Achat et conservation

Choisissez une pêche parfumée et pas trop dure, dépourvue de meurtrissures et de taches. Après la cueillette, la pêche continue de mûrir et de développer ses arômes. Pour accélérer le processus de mûrissement, déposez-la dans un sac en papier qui contient déjà un fruit mûr.

Dans la cuisine

Elle est savoureuse nature, mais on peut aussi la cuire. Pour la peler aisément, plongez-la environ 30 secondes dans l'eau bouillante avant de la passer rapidement à l'eau froide.

Faites un lait fouetté avec 1 tasse de boisson au soja à laquelle vous ajouterez 1 c. à soupe de miel et un soupçon de muscade. Pour le rendre plus onctueux, ajoutez 2 à 3 c. à soupe de yogourt nature.

Recette

- Fruits au cari (p. 236)

Mariage parfait

Ajoutez des bouchées de pêche fraîche à des épinards, parfumez de coriandre et servez avec une vinaigrette au yogourt; peu calorique, cette entrée est une bonne source de vitamines et de calcium.

Truc beauté

La chair écrasée de la pêche est depuis toujours utilisée pour conserver un peau saine et dépourvue de rides. Il faut garder ce masque une vingtaine de minutes avant de se rincer le visage à l'eau tiède.

Bon à savoir

En conserve, elle perd 80 % de sa vitamine C. Et comme elle baigne dans un sirop, elle devient beaucoup plus calorique.

Persil

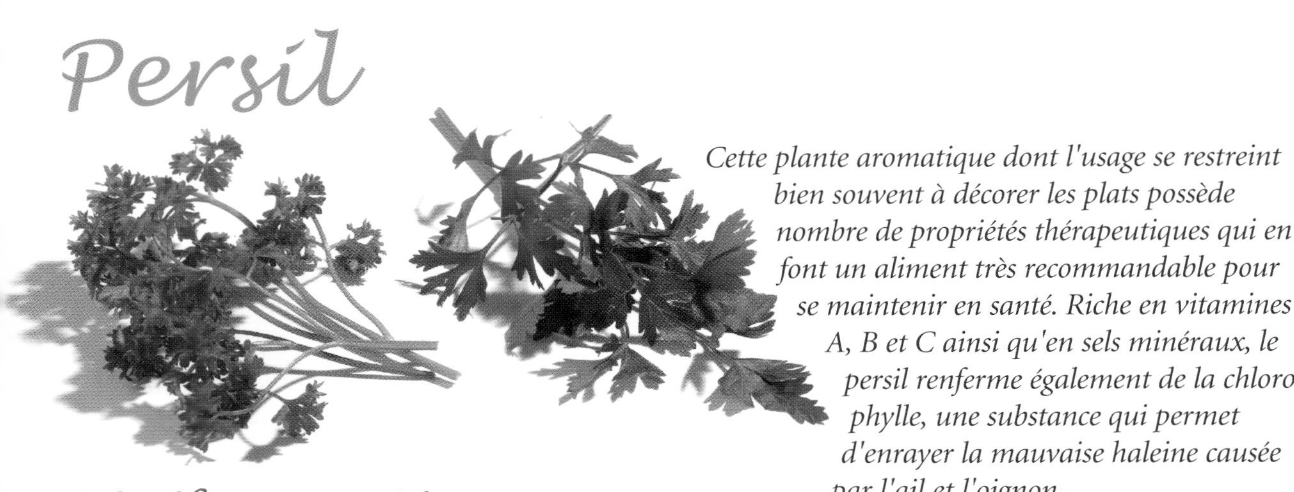

Cette plante aromatique dont l'usage se restreint bien souvent à décorer les plats possède nombre de propriétés thérapeutiques qui en font un aliment très recommandable pour se maintenir en santé. Riche en vitamines A, B et C ainsi qu'en sels minéraux, le persil renferme également de la chlorophylle, une substance qui permet d'enrayer la mauvaise haleine causée par l'ail et l'oignon.

Bénéfices santé

- Antianémique
- Antiseptique
- Prévient la flatulence
- Protège contre le cancer
- Rafraîchit l'haleine
- Soulage de l'inconfort menstruel
- Vermifuge

Bon usage

Parce qu'il renferme des propriétés antiseptiques et des nutriments de valeur, le persil cru devrait être consommé tous les jours, que ce soit dans les salades ou les hors-d'œuvre. Il assure en effet une protection contre les infections et différents types de cancer.

Précautions

Une surconsommation de persil peut être néfaste aux femmes enceintes, car il contient des substances qui stimulent les contractions utérines.

Achat et conservation

Le persil plat ou le persil frisé sont deux des variétés offertes dans la plupart des épiceries. Toutes deux se conservent bien au réfrigérateur à condition que les bouquets soient bien frais et qu'ils soient gardés au sec. Dès que les feuilles commencent à s'humidifier ou à jaunir, il faut les retirer de l'emballage.

Dans la cuisine

Crues, les feuilles et les tiges finement émincées parfument les vinaigrettes et donnent du croquant aux salades et aux entrées froides. On peut également les ajouter avec profit aux ragoûts, aux plats en sauce, aux pâtes et au riz.

Recettes

- Salade de couscous au persil (taboulé) (p. 216)
- Vinaigrette aux mille vertus (p. 227)

Astuce culinaire

Composez une salade de lentilles vertes et arrosez-la d'une vinaigrette abondamment garnie de persil haché; la vitamine C du persil facilite l'assimilation du fer des lentilles.

Truc beauté

Lotion pour la peau et rince-cheveux

Faites bouillir dans une tasse d'eau une poignée de persil haché, feuilles et tiges, jusqu'à ce que le liquide devienne vert. Laissez tiédir et filtrez.

Bon à savoir

25 g (1 oz) de persil frais renferme 50 mg de vitamine C, soit près de 80 % de la valeur quotidienne recommandée.

Piment

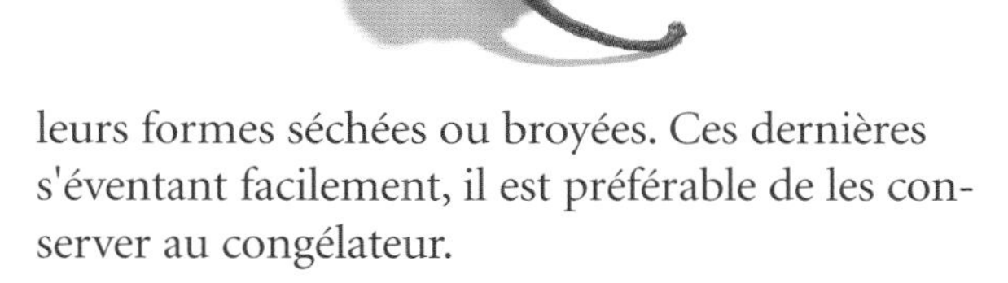

Il se peut que le piment soit encore confondu avec le poivron, sans doute parce qu'on appelle encore celui-ci piment doux, mais la méprise ne saurait subsister après qu'on a goûté à l'un et à l'autre. Le piment doit son goût piquant et vif à une substance qui agit sur les mucus à la manière d'un décongestionnant. Il contient plus de vitamine C qu'une orange, mais il ne peut contribuer que bien peu à l'apport quotidien recommandé, compte tenu de la petite quantité que l'on peut consommer à la fois.

Bénéfices santé

- Atténue les effets de la douleur
- Décongestionne les voies respiratoires
- Diminue la tension artérielle
- Diminue les risques de maladies cardiovasculaires et de bronchite
- Peut prévenir certains types de cancer
- Réduit le taux de cholestérol
- Stimule la sécrétion d'endorphines

Bon usage

Boire un verre d'eau dans lequel on a dilué 10 à 20 gouttes de sauce piquante au piment rouge pour prévenir la bronchite chronique ou les rhumes.

Précautions

Les piments augmentent l'acidité gastrique et irritent le système digestif, particulièrement la région de l'anus. Les spécialistes se contredisent quant aux effets du piment sur les ulcères d'estomac; les uns prétendent qu'ils les entretiennent et en intensifient la douleur, tandis que les autres affirment le contraire. Le mieux est d'en vérifier soi-même les effets.

Achat et conservation

Les piments frais se conservent bien au réfrigérateur, mais ils procurent les mêmes bénéfices sous leurs formes séchées ou broyées. Ces dernières s'éventant facilement, il est préférable de les conserver au congélateur.

Dans la cuisine

Le jalapeno, petit piment vert foncé de la grosseur d'un doigt, possède une saveur qui varie d'un fruit à l'autre. On les ajoute, lui et ses cousins, à des bouillons et aux soupes, aux vinaigrettes et aux marinades, aux sauces et aux ragoûts.

Recette

- Harissa (sauce aux piments) (p. 223)

Astuce culinaire

Parce qu'ils sont irritants pour la peau et les yeux, il faut porter des gants quand on manipule les piments ou se laver les mains plusieurs fois au savon et à l'eau chaude après y avoir touché.

Bon à savoir

Les piments secs sont ordinairement plus forts que les frais. Les petits piments renferment plus de graines et de membranes que les gros, ce qui les rend plus piquants.

Poire

Le fruit délectable du poirier contient une abondance de nutriments, de sels minéraux et de vitamines du complexe B. La poire renferme aussi de la lignine, une fibre insoluble qui permet d'abaisser le taux de cholestérol. Les diabétiques peuvent l'inclure dans leur alimentation parce qu'elle contient du lévulose, un sucre qui ne leur est pas interdit. La poire est particulièrement recommandée aux femmes ménopausées, car elle renferme un minéral précieux, le bore, qui empêche la perte de calcium dont elles ont besoin pour conserver leurs os en bonne santé; le bore stimule en outre les facultés intellectuelles et lutte contre les pertes de mémoire liées au vieillissement.

Bénéfices santé

- Abaisse le taux de mauvais cholestérol
- Protège contre le cancer du côlon
- Stimule le cerveau

Bon usage

Comme il est disponible une bonne partie de l'année, on aurait tort de se priver de ce fruit délicieux qui recèle tant de vertus thérapeutiques. Il suffit de manger deux poires pour absorber 32 % de la valeur quotidienne recommandée en fibres. En outre, la poire a la réputation d'éclaircir le teint et de donner une peau souple et radieuse à qui en consomme.

Précautions

Comme c'est dans la peau que se concentre la majorité des fibres du fruit, il est préférable de manger la poire sans la peler après l'avoir lavée.

Achat et conservation

Il existe plusieurs centaines de variétés dans le monde. Les plus présentes sur nos marchés sont l'anjou, la bartlett, la bosc et la comice. À l'instar de l'avocat, la poire ne mûrit pas bien sur l'arbre et continue donc de développer ses saveurs après la cueillette. Cependant elle peut mûrir en un ou deux jours, puis devenir farineuse et se gâter très rapidement.

Dans la cuisine

Crue ou cuite, elle entre dans la composition de salades et de hors-d'œuvre, et bien sûr de savoureux desserts.

Recettes

- Compote de pommes, de poires et de pruneaux (p. 136)
- Salade de poires aux pistaches et au chèvre (p. 218)

Astuce culinaire

Pour savoir si une poire est mûre, il suffit de tâter le bas du pédoncule, qui devrait s'enfoncer sous une pression légère.

Bon à savoir

Les poires en conserve possèdent bien peu des bénéfices santé que contiennent les fruits frais. Par ailleurs, elles baignent souvent dans un sirop qui les rend très caloriques.

Poireau

À l'instar de ses cousins l'oignon et l'ail, le poireau est très riche en sels minéraux et possède plusieurs de leurs propriétés bénéfiques, plus une forte teneur en acide folique. Faible en sodium et peu calorique, il est recommandé aux diabétiques, aux personnes qui suivent un régime hyposodé, ainsi qu'à celles qui souhaitent perdre du poids.

Bénéfices santé

- Détruit les bactéries
- Diurétique et astringent
- Protège contre les maladies cardiovasculaires

Bon usage

En raison de son goût délicat et subtil, il plaira à ceux que l'oignon indispose et qui pourront ainsi profiter de ses bienfaits.

Précautions

Le poireau peut causer de la flatulence à cause du soufre qu'il contient. Par ailleurs, il doit être soigneusement lavé et débarrassé de la terre ou du sable qui s'infiltre entre ses feuilles.

Achat et conservation

Choisissez un légume ferme aux feuilles bien vertes. Écartez les poireaux qui n'ont pas leurs racines, car ils ont tendance à s'abîmer facilement. Ils se conservent bien au réfrigérateur.

Dans la cuisine

Cru, il confère un goût délicat aux salades, cuit, il est délicieux dans les potages, les gratins, les quiches, les riz, et on le sert souvent en guise d'accompagnement.

Recettes

- Casserole de légumes et de pois chiches gratinée (p. 196)
- Potage de céleri-rave et de patate douce (p. 171)
- Quiche aux légumes et au fromage feta à la croûte aux pacanes (p. 204)
- Riz aux poireaux, aux herbes et aux champignons (p. 185)
- Soupe aux feuilles de radis (p. 172)
- Soupe aux pois cassés à l'indienne (p. 174)

Astuce culinaire

Pour nettoyer le poireau, après avoir coupé la partie verte, il suffit d'inciser la partie blanche à trois ou quatre endroits et de soulever les feuilles sous le robinet d'eau froide.

Bon à savoir

Une portion de poireaux cuits contient près du tiers d'acide folique de l'apport quotidien recommandé pour un adulte.

Pois

Fruits d'une plante herbacée, les petits pois sont riches en sels minéraux et en vitamines, et contiennent une substance complexe puissante, la lutéine, qui leur donne leur couleur et peut empêcher les cellules saines de devenir cancéreuses.

Bénéfices santé

- Abaisse le taux de cholestérol
- Énergétique
- Favorise l'évacuation intestinale
- Protège contre le cancer
- Prévient les cataractes
- Soulage des symptômes du rhume

Bon usage

Bien que les chercheurs n'aient pas encore déterminé la dose exacte de pois qu'il faudrait absorber pour profiter des vertus de la chorophylline, cette substance anticancérigène, ils recommandent de les associer le plus souvent possible à nos repas, ainsi que d'autres végétaux de même couleur.

Précautions

Parce que les petits pois sont considérés comme le balai de l'intestin, ils sont déconseillés aux personnes souffrant d'entérite.

Achat et conservation

Les petits pois frais n'étant pas offerts durant une bonne partie de l'année, on peut tout aussi bien les consommer surgelés sans se priver de leurs qualités nutritives.

Dans la cuisine

Ils entrent dans la composition de soupes, de potages et de ragoûts, et sont fréquemment utilisés pour accompagner les plats de viande et de poisson.

Recette

- Soupe aux petits pois verts (p. 173)

Mariage parfait

L'association petit pois et carottes est un classique parce que l'apport en fibres des pois est diminué par la présence de la carotte, ce qui confère à ce plat une meilleure tolérance digestive. Le petit pois renforce le mélange en vitamine E, alors que la carotte apporte surtout des carotènes, deux antioxydants qui s'harmonisent parfaitement.

Astuce culinaire

Servis en purée, les petits pois perdent une grande partie de leurs fibres mais gagnent en digestibilité.

Bon à savoir

Les petits pois en conserve ont perdu une bonne partie de leurs propriétés thérapeutiques au cours du processus de transformation, mais ils contiennent de la lutéine, une substance qui prévient les cataractes. De leur côté, les pois congelés gardent la plupart de leurs nutriments, y compris la vitamine C.

Poisson

Le phénomène est connu, mais il est utile de le rappeler, tous les peuples qui font la part belle au poisson dans leur alimentation sont peu affectés par les maladies cardiovasculaires. Ne serait-ce que pour cette raison, le poisson mérite une place de choix au menu des gens qui désirent s'alimenter sainement. Cependant, fait encore plus convaincant, les plus récentes recherches concernant la présence d'oméga-3 dans le poisson, plus particulièrement dans les poissons gras tels le hareng, le maquereau, le saumon, le thon et les sardines, tous très riches en oméga-3 et en vitamine B_{12}, donnent à penser que l'huile que ces poissons contiennent pourrait également soulager du stress, de l'anxiété et de la dépression.

Bénéfices santé

- Améliore l'humeur et combat la dépression
- Contribue à régulariser le rythme cardiaque
- Prévient le cancer du sein et du côlon
- Réduit les risques de maladies cardiovasculaires
- Régularise le fonctionnement du système hormonal

Bon usage

Les personnes qui consomment de la viande tous les jours auraient intérêt à intégrer plus de poisson à leur menu. Pour profiter des vertus des oméga-3, on recommande de consommer des poissons gras deux fois par semaine.

Précautions

Amateurs de sushis, attention ! La consommation de poisson cru contient sa part de risques, plus spécialement le hareng et le merlan qui peuvent être porteurs de larves d'anisakis, un parasite pouvant entraîner des maladies aiguës et chroniques.

Une étude récente menée sur le saumon d'élevage a décelé des substances toxiques qui pourraient s'avérer cancérigènes pour celui qui en consomme régulièrement. Cette étude est cependant jugée exagérément alarmiste par une majorité de spécialistes, qui continuent de recommander une consommation hebdomadaire de saumon d'élevage, lequel compte pour plus de la moitié du saumon consommé dans le monde.

Achat et conservation

La fraîcheur d'un poisson est sa première qualité et celle qui pourra convaincre les plus réticents qu'il a une saveur incomparable. Elle est généralement facile à reconnaître, l'odeur doit être agréable et rappeler la fraîcheur de la marée, la peau doit être d'une couleur vive, la chair ferme et non colorée près de l'arête centrale, tandis que les yeux doivent être bombés et clairs, et les pupilles brillantes.

Dans la cuisine

Il y a bien des manières d'apprêter le poisson et, quel que soit le mode de cuisson, il ne requiert que peu de temps. On peut le griller, le pocher, le cuire au four, ou on peut le poêler ou le sauter. Il compose des entrées fines et des potages délicats.

Recettes

- Canapés de sardines (p. 150)
- Darnes de saumon au poivre vert (micro-ondes) (p. 198)
- Filet de saumon cru aux herbes salées (p. 153)
- Filets de poisson dorés aux épices (p. 198)
- Filets de saumon aux graines de sésame (p. 199)
- Pizza jardinière au saumon sockeye (p. 202)

Astuce culinaire

La chaleur élevée pouvant détruire près de la moitié des précieux acides oméga-3, n'hésitez pas à vous servir du micro-ondes, qui conserve au poisson toutes ses vertus tout en lui assurant une cuisson parfaite (voir la recette des darnes de saumon au poivre vert).

Bon à savoir

Le thon qui entre dans la préparation des conserves est un poisson moins gras qui renferme deux fois moins d'oméga-3 que le saumon de l'Atlantique en conserve. Les conserves de sardines et les maquereaux en contiennent pour leur part des quantités appréciables.

Poivron

À l'instar de l'aubergine et de la tomate, le poivron est considéré comme un fruit en botanique. Très riche en vitamine C et en bêta-carotène, il contient aussi, dans une moindre mesure, des sels minéraux et des vitamines du groupe B. Sachant que l'association de la vitamine C et du bêta-carotène contribue à prévenir les cataractes, les personnes âgées ont tout intérêt à intégrer le poivron à leur alimentation.

Bénéfices santé

- Contribue à prévenir les cataractes
- Protège le système immunitaire
- Réduit les risques de maladies cardiovasculaires

Bon usage

Ajouté cru à des salades deux fois la semaine, le poivron rouge renforce le système immunitaire et protège efficacement contre les infections.

Précautions

Les poivrons verts ont atteint leur taille normale, mais parce qu'ils ne sont pas parvenus encore à maturité, ils peuvent être difficiles à digérer.

Par ailleurs, la vitamine C, ce puissant antioxydant, résiste mal à la cuisson. Pour profiter de ses vertus, il vaut mieux consommer le poivron cru.

Achat et conservation

On en propose des jaunes, des rouges, des verts et même des violets, qui tous se conservent aisément au réfrigérateur.

Dans la cuisine

Cru, il donne du croquant aux salades, cuit, il ajoute un petit quelque chose aux potages, au riz et aux ragoûts. On peut aussi le servir frit, mais il est encore meilleur lorsqu'on le fait griller.

Recettes

- Choux de Bruxelles sautés (p. 180)
- Ratatouille niçoise (p. 155)
- Spaghettis à l'aubergine et aux shiitakes (p. 207)

Astuce culinaire

Un bon moyen de profiter de toutes les propriétés thérapeutiques du poivron est d'en consommer le jus en le mélangeant à d'autres jus de légumes tels la carotte, le céleri et le panais.

Faire griller les poivrons est une autre solution savoureuse. Pour ce faire, coupez-les en deux, mettez-les sur une plaque, le côté bombé vers le haut, et faites-les griller sous l'élément du four jusqu'à ce que la peau noircisse. Laissez tiédir, retirez la peau carbonisée, les trognons et les graines, et ajoutez à vos plats cuisinés.

Bon à savoir

Un poivron rouge contient trois fois plus de vitamine C qu'une orange du même poids.

Pomme

Succulente à croquer, extrêmement bénéfique pour la santé, la pomme possède une réputation qui n'est pas près d'être démentie; le fruit du pommier est encore aussi apprécié qu'il le fut des Anciens. Il faut dire que la pomme, en plus d'être riche en vitamines et en sels minéraux, contient une substance complexe, la quercétine, un antioxydant capable d'inhiber la croissance de tumeurs cancéreuses. Elle contient aussi des fibres insolubles et solubles dont une, la pectine, parvient à abaisser le taux de cholestérol dans le sang.

Bénéfices santé

- Aide à combattre la carie dentaire
- Antidiarrhéique
- Diminue le taux de cholestérol sanguin
- Diminue les risques de maladies cardiovasculaires
- Diurétique
- Laxative
- Revitalisante

Bon usage

Le dicton selon lequel une pomme par jour éloignerait le médecin est toujours vrai, à condition que l'on croque la pomme avec sa pelure, qui renferme la plupart de ses vertus thérapeutiques.

Une pomme mangée chaque matin à jeun serait le meilleur des dépuratifs.

Consommée chaque soir au coucher, elle combat efficacement la constipation. Croquée à la fin d'un repas, elle a la réputation de nettoyer les dents et de purifier l'haleine mais aussi de tonifier les gencives...

Peu calorique, la pomme constitue une collation de choix pour les personnes qui désirent maintenir leur poids santé.

Truc beauté

Le jus de pomme, appliqué sur le visage, le cou, les seins et l'abdomen, raffermit les tissus.

Précautions

Particulièrement vulnérable aux insectes ravageurs, la pomme est souvent arrosée de pesticides au cours de sa croissance. Et pour la conserver, elle est couramment enduite de cire. Si vous ne pouvez pas vous procurer des fruits biologiques, lavez soigneusement les pommes avant de les manger avec leur pelure.

Achat et conservation

Parmi les différentes variétés offertes sur le marché, mentionnons, pour les pommes à croquer, la melba, la gala, la mcIntosh, les délicieuses rouges et jaunes et la russett. La cortland, la spartan, l'empire, l'idared et la rome beauty sont aussi bonnes cuites que crues. Les pommes sont généralement cueillies avant leur maturité, mais elles se conservent plusieurs semaines au réfrigérateur.

Dans la cuisine

Puisqu'il est préférable de les manger crues, elles ne perdront rien de leurs propriétés si on les ajoute à des salades de laitue et de légumes ou de fruits. Cuites, elles entrent dans la composition de caris et de ragoûts. Naturellement, on tirera toujours profit de leur goût en les utilisant pour la confection de compotes, de tartes, de flans, de croustades et de nombre de desserts gourmands.

Recettes

- Compote de pommes, de poires et de pruneaux (p. 136)
- Crème *budwig* (p. 137)
- Muffins au sarrasin, aux pommes et aux betteraves (p. 140)
- Pommes au four (p. 239)
- Salade de cœurs d'artichaut aux pommes et à l'avocat (p. 216)
- Salade de cresson aux pommes, aux noisettes et au chèvre (p. 156)

Mariage parfait

Une entrée composée de laitue, de pommes et de noix offre une combinaison de plusieurs substances nutritives : vitamine C et carotène de la salade, fibres et glucides lents des pommes, et acides gras oméga-3, vitamine E et fibres des noix. Tous ces éléments, complétés par l'huile d'olive d'une vinaigrette simple (huile, moutarde, citron), ont un effet protecteur sur le système cardiovasculaire.

Astuce culinaire

Pour faire une bonne compote, ajoutez le jus d'un demi-citron et le zeste d'une demi-orange à la cuisson des pommes. Pour une compote sucrée naturellement, ajoutez, 10 minutes avant la fin de la cuisson, des figues et des raisins au lieu du sucre.

Bon à savoir

Le jus de pomme est loin de se comparer au fruit en ce qui concerne ses propriétés nutritives. Mais bien sûr, on préférera le jus de pomme à toute boisson gazeuse.

Pomme de terre

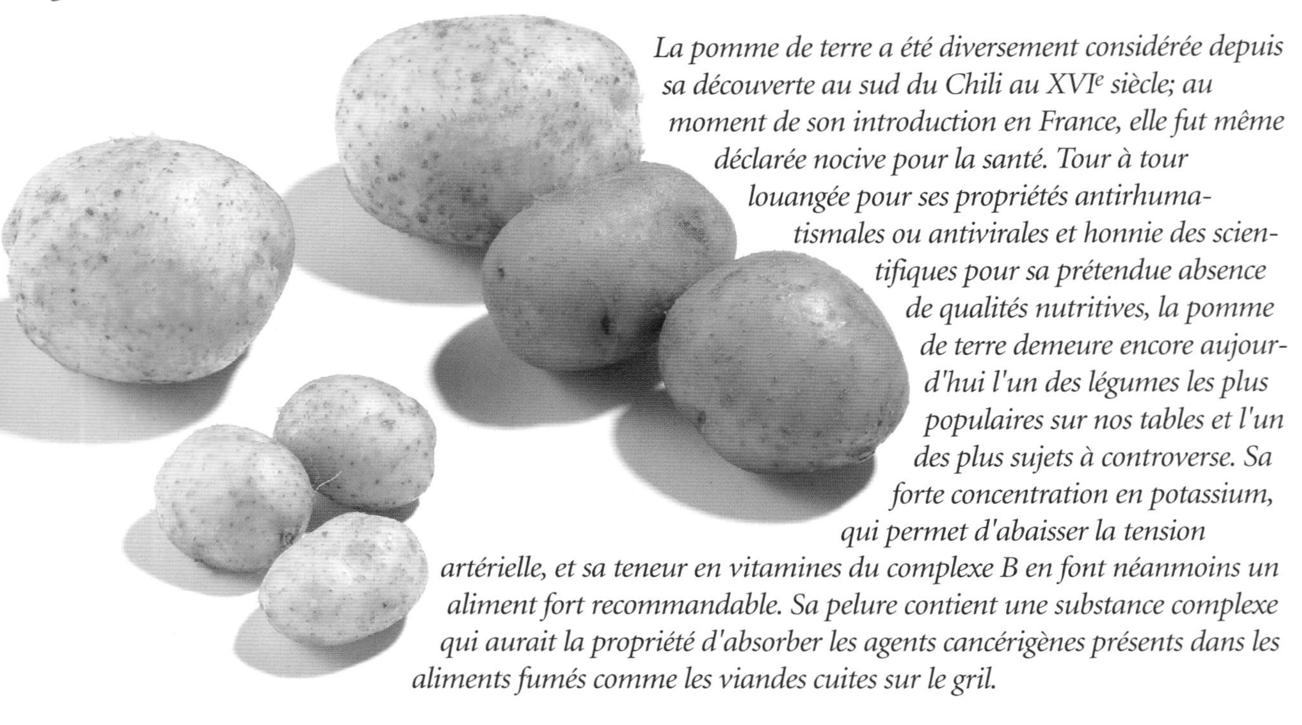

La pomme de terre a été diversement considérée depuis sa découverte au sud du Chili au XVIe siècle; au moment de son introduction en France, elle fut même déclarée nocive pour la santé. Tour à tour louangée pour ses propriétés antirhumatismales ou antivirales et honnie des scientifiques pour sa prétendue absence de qualités nutritives, la pomme de terre demeure encore aujourd'hui l'un des légumes les plus populaires sur nos tables et l'un des plus sujets à controverse. Sa forte concentration en potassium, qui permet d'abaisser la tension artérielle, et sa teneur en vitamines du complexe B en font néanmoins un aliment fort recommandable. Sa pelure contient une substance complexe qui aurait la propriété d'absorber les agents cancérigènes présents dans les aliments fumés comme les viandes cuites sur le gril.

Bénéfices santé

- Abaisse la tension artérielle
- Combat le diabète
- Prévient certains types de cancer
- Soulage des rhumatismes
- Soulage des ulcères

Bon usage

On recommande de consommer la pomme de terre comme féculent au repas du soir, de préférence avec sa pelure, car elle favoriserait la détente et le sommeil.

C'est hélas! la pomme de terre crue et non pelée qui serait la plus bénéfique pour la santé, ce qui risque d'en décevoir plusieurs. Cependant, la cuisson au four, qui la rend si savoureuse, lui conserve la plupart de ses vertus. Peu calorique si on n'y ajoute pas de gras, on peut donc la consommer fréquemment sous cette forme à condition de ne pas l'arroser de beurre ou de crème sure.

Précautions

Bien que les spécialistes se contredisent sur ce point, la pomme de terre serait déconseillée aux diabétiques parce qu'elle élève l'insulinémie et la glycémie.

Par ailleurs, la pomme de terre germée ou verdie renferme des solanines, des substances qui deviennent toxiques lorsqu'elles sont consommées en grandes quantités. On ne doit jamais cuire au four ou consommer avec la peau des pommes de terre qui ont commencé à germer.

Achat et conservation

Il existe des variétés de pommes de terre convenant à tous les types de cuisson (au four, frites, en purée ou rissolées) : ce sont les Russet, Idaho ou Yukon Gold.

Les pommes de terre nouvelles sont bonnes bouillies et composent de succulentes salades. Choisissez-les sans germes ni meurtrissures. Elles se conservent au frais, mais pas au froid, donc pas au réfrigérateur. Il faut également éviter de les ranger avec les oignons, leur acidité risquant de décomposer ces derniers.

Dans la cuisine

La pomme de terre peut être apprêtée de multiples manières et entrer dans la composition de toutes sortes de mets appétissants, salades, potages, bouillis, ragoûts, gratins.

Recettes

- Potage au brocoli (p. 167)
- Potage au chou-fleur (p. 168)
- Potage au panais et aux courgettes (p. 169)
- Potage de céleri au cari (p. 171)
- Purée de pommes de terre aux carottes et au rutabaga (p. 184)
- Soupe aux feuilles de radis (p. 172)

Mariage parfait

En cuisant à la vapeur une pomme de terre avec sa peau, on conserve au maximum sa vitamine C. Une persillade additionnée d'une filet d'huile d'olive apportera un peu plus de vitamines C et B_9, du fer et du carotène.

Astuce culinaire

Bonne nouvelle pour les amateurs de frites, celles qui sont préparées industriellement pour être cuites au four sont moins grasses que celles qu'on fait frire dans l'huile. La meilleure manière de faire des pommes frites consiste à rouler des pommes de terre, non pelées et coupées grossièrement, dans un bol où on aura mis 2 c. à soupe d'huile de pépins de raisin, puis de les disposer sur une plaque à cuisson. Passées à four très chaud durant une dizaine de minutes, elles sont une solution de rechange meilleure pour la santé et sont tout aussi bonnes au goût que les frites cuites dans la friteuse.

Bon à savoir

En dépit de son teint pâlot et contrairement à ce qu'on serait tenté de penser, la pomme de terre renferme une bonne quantité d'antioxydants, lesquels protègent de plusieurs maladies, notamment les maladies cardiovasculaires. On trouve d'ailleurs sur le marché des pommes de terre de diverses couleurs – mauve, rouge orange – , qui contiennent plus de quatre fois la quantité d'antioxydants des pommes de terre ordinaires, ce qui leur confère une capacité de lutter contre les radicaux libres plus élevée que celle des choux de Bruxelles et des épinards. Plus la chair de la pomme de terre est jaune, plus sa concentration en vitamine C est élevée.

Prune

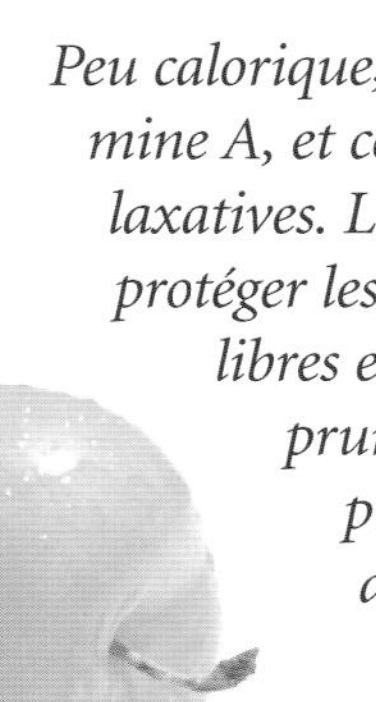

Peu calorique, le fruit du prunier est riche en potassium et en vitamine A, et contient de l'acide oxalique qui lui confère ses propriétés laxatives. La prune contient en outre un antioxydant capable de protéger les cellules contre les effets dévastateurs des radicaux libres et peut atténuer certains effets du vieillissement. Le pruneau s'obtient par dessiccation ou déshydratation, procédés qui lui confèrent, outre du fer, des vitamines du complexe B et des fibres.

Bénéfices santé

- Décongestionnant hépatique
- Diminue le taux de cholestérol
- Énergétique
- Soulage de la constipation

Traitement maison

Contre la constipation

Mettez cinq ou six pruneaux séchés à tremper le soir et mangez-les à jeun le lendemain matin, puis buvez l'eau de trempage.

Précautions

Consommés en trop grande quantité, les pruneaux peuvent provoquer de la flatulence, des nausées et d'autres malaises gastriques. Pour profiter pleinement de leurs avantages, il faut les ajouter progressivement à son régime alimentaire.

Achat et conservation

Choisissez des prunes un peu fermes montrant une peau lisse et brillante, et conservez-les au réfrigérateur. Les pruneaux se conservent comme les autres fruits séchés, dans un endroit sec à l'abri de la lumière.

Dans la cuisine

On mange les prunes nature, on les ajoute aux salades de fruits, on en fait des compotes et des confitures. On ajoute les pruneaux au riz, aux ragoûts de viande, aux desserts, aux croustillants et aux carrés, aux compotes de fruits secs.

Recette

- Compote de pommes, de poires et de pruneaux (p. 136)

Mariage parfait

Une compote faite de prunes et de pommes fournit un apport élevé en fibres (grâce à la prune) qui renforce celui de la pomme, ce qui permet une stimulation efficace du transit intestinal. Les pectines que contiennent les deux fruits empêchent l'irritation et favorisent un bon équilibre.

Astuce culinaire

On peut avantageusement remplacer le sucre raffiné par des pruneaux, des dattes et des figues dans plusieurs recettes de desserts.

Bon à savoir

Le jus vendu en bouteille, bien qu'il soit faible en fibres, possède des propriétés laxatives.

Quinoa

Traditionnellement cultivé au Pérou, en Équateur et en Bolivie, le quinoa était la base de l'alimentation des Incas, qui l'appelaient «céréale mère». Toutefois, le quinoa n'est pas une céréale au sens botanique du terme, mais une plante herbacée dont on récolte les graines très nutritives. Celles-ci ont une forte teneur en protéines qui contiennent tous les acides aminés essentiels au bon fonctionnement de l'organisme, en particulier les acides aminés soufrés, lesquels sont rares dans les protéines végétales. Le quinoa est également une bonne source de fer, de magnésium, de phosphore, de potassium, et renferme presque toutes les vitamines du groupe B. Faible en sodium, il ne contient pas de gluten.

Bénéfices santé

Il combat la fatigue et renforce l'organisme, car c'est l'une des rares graines à contenir les huit acides aminés essentiels. Des recherches ont montré que toutes les personnes affaiblies par une alimentation dénaturée ont retrouvé la forme et augmenté leur endurance après une consommation de quelques semaines.

Bon usage

Toutes les personnes souffrant d'anémie, de même que celles qui sont atteintes d'intolérance au gluten, trouveront des bénéfices réels à en consommer trois ou quatre fois par semaine.

Précautions

Il faut toujours rincer plusieurs fois les graines de quinoa avant les utiliser afin d'en enlever les résidus de saponin, un insecticide naturel qui enveloppe la graine et la protège des oiseaux et des insectes.

Achat et conservation

On trouve le quinoa dans les magasins d'aliments naturels et en vrac dans certains supermarchés. Il se présente également sous forme de flocons ou de farine.

En raison de sa forte teneur en huile naturelle, il vaut mieux le conserver dans un contenant en verre hermétiquement fermé, dans un endroit frais et sec. Prévoyez le consommer au cours du mois suivant l'achat.

Dans la cuisine

Sa saveur délicate et légère en fait un savoureux substitut du riz, du boulgour ou de la semoule de blé dans les taboulés ou les pilafs. On le cuit dans deux fois son volume d'eau pendant environ 10 minutes, jusqu'à ce que la graine devienne translucide et se tourne vers l'extérieur.

Il est excellent dans les farces, les ragoûts et les potages. Une tasse (250 ml) de quinoa cuit dans un liquide chaud (eau, bouillon ou jus de légumes) donne 3 tasses (750 ml) de quinoa cuit.

Recettes

- Rouleaux au chou chinois (p. 205)
- Salade de couscous (ou de quinoa) au persil (p. 216)
- Soupe de maïs et de quinoa (p. 174)

Mariage parfait

Combinez agrumes, persil et quinoa. L'acidité des agrumes et leur apport en vitamine C, enrichis par le fer du persil, augmentent l'effet tonifiant du quinoa.

Astuce culinaire

On peut le brunir dans une poêle pendant cinq minutes avant la cuisson pour lui donner un goût de grillé.

Bon à savoir

Selon les historiens, dix millions d'Incas vivant sur les plateaux andins ont pu survivre grâce aux qualités nutritives du quinoa. Pour ses propriétés hautement protéinées, il apparaît comme une solution aux problèmes de la faim dans le monde.

Le quinoa présente une teneur en protéines végétales très élevée (14-15%), supérieure à celle du blé (11,5%) et d'autres céréales, et il contient nettement moins de glucides que celles-ci.

Radis

Les plantes potagères à racines que sont les diverses variétés de radis, tout comme le brocoli, le chou et le navet, font partie de la famille des crucifères. Elles contiennent donc, à l'instar de leurs cousins, des composés qui peuvent protéger l'organisme contre certains cancers. Riche en cellulose, en vitamine C, en fer et en potassium, le radis est peu calorique et jouit de propriétés préventives croissantes en raison de sa composition en éléments sulfureux. Si le radis rose est parfois difficile à digérer, le radis noir est en revanche réputé pour faciliter la digestion et stimuler le fonctionnement de la vésicule biliaire. Ses propriétés ont également la réputation de traiter les infections respiratoires.

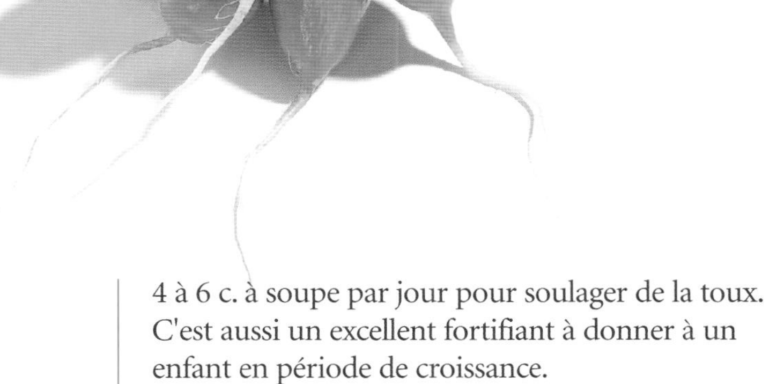

Bénéfices santé

- Améliore le transit intestinal
- Antiseptique
- Apéritif et tonique
- Diminue les risques de cancer
- Facilite la digestion (radis noir)
- Prévient les maladies cardiovasculaires
- Soulage de la toux (radis noir)
- Stimule l'appétit

Traitement maison

Un sirop fortifiant contre la toux

Dans un ramequin, placez des tranches de radis noir en couches alternées avec du sucre candi, qui possède la propriété de fondre lentement. Après 12 heures, vous obtiendrez un sirop abondant que vous pourrez prendre ou administrer à raison de 4 à 6 c. à soupe par jour pour soulager de la toux. C'est aussi un excellent fortifiant à donner à un enfant en période de croissance.

Précautions

On veillera à intégrer progressivement le radis rose à son alimentation, à ne pas en abuser et à le consommer jeune et frais.

Les composés sulfureux que contiennent les radis peuvent empêcher l'assimilation de l'iode par l'organisme et handicaper le bon fonctionnement de la thyroïde.

Le radis noir, comme son jus, peut être indigeste. Il faut l'éviter si on souffre de gastrite, d'ulcère à l'estomac ou d'une affection thyroïdienne.

On recommande de ne pas en consommer plus de trois semaines consécutives.

Achat et conservation

Choisissez-les de préférence petits car plus les radis sont gros, plus ils risquent d'être creux et fades. Et souvenez-vous que les radis ronds sont plus doux au goût que les allongés. Il doivent être fermes, sans taches ni meurtrissures. Mais avant tout, examinez la fraîcheur de leurs fanes et choisissez-les bien vertes. Les radis se conservent environ deux semaines dans le bac à légumes du réfrigérateur.

Dans la cuisine

Le radis noir et le radis rose se consomment crus, et le premier, ajouté à des potages, leur communique ses étonnants pouvoirs curatifs.

Le radis daikon se consomme surtout râpé, parfois confit dans de la sauce soja ou tamari. Les Japonais en sont très friands; ils le servent en hors-d'œuvre, arrosé d'une vinaigrette, en trempette, et en accompagnement de fruits de mer de poissons et de volailles, ou pour garnir les sashimis et les sushis. Ils en savourent aussi les feuilles ainsi que les graines germées.

Recette

- Soupe aux feuilles de radis (p. 172)

Mariage parfait

Entier, en pétales ou en lamelles, ajouté à des salades composées, le radis rose enrichit de vitamine C les légumes qui en sont moins pourvus, tels les tomates, les carottes et le concombre.

Astuce culinaire

Les feuilles du radis rose sont riches en vitamines et devraient être consommées avec le radis. Elles sont par ailleurs délicieuses dans les potages (voir notre recette).

Pour faire germer les graines, faites-les tremper durant 8 à 14 heures avant de les mettre en pot. (Voir méthode à la p. 69) On peut consommer les jeunes pousses au bout d'une journée ou les laisser se former quelques jours. Ajoutez-les à vos salades et à vos sandwiches avec parcimonie, car leur goût est piquant.

Bon à savoir

Le radis noir contient plus de vitamine C qu'une orange. Cette vitamine est mieux préservée dans les radis que dans d’autres légumes, car on les déguste pratiquement toujours crus, ce qui permet de profiter d’un apport maximal puisqu'il n’y a pas de perte due à la cuisson.

Raisin

Depuis les temps les plus reculés, le fruit de la vigne est hautement apprécié des peuples qui le cultivent, autant pour ses vertus thérapeutiques que pour les inestimables qualités du vin qu'on en tire. Ce n'est pourtant que tout récemment qu'on a découvert les propriétés étonnantes du vin rouge, qui s'est révélé un puissant antioxydant capable de diminuer les risques d'affections cardiaques et de cancer. Si la quercétine, cette substance responsable de ces effets protecteurs, est aussi présente dans le raisin, il semble que la fermentation nécessaire à la fabrication du vin en accroisse les bienfaits. Au cours des dernières décennies, des chercheurs se sont penchés sur les propriétés des flavonoïdes du raisin, particulièrement celles du resvératrol, surtout concentré dans la peau du fruit, et des oligo-proanthocyanidines qu'on trouve principalement dans l'enveloppe du pépin.

Bénéfices santé

- Abaisse le taux de cholestérol (raisin, vin, huile de pépins)
- Atténue le stress oculaire causé par l'éblouissement
- Combat les virus
- Diminue les risques de maladies cardiovasculaires (vin)
- Laxatif
- Prévient la carie dentaire (raisin)
- Prévient le vieillissement de la peau (raisin)
- Protège contre divers types de cancer (vin)
- Réduit l'hypertension artérielle
- Soulage des hémorroïdes
- Tonique
- Traite l'insuffisance veineuse et les varices

Bon usage

On recommande de ne pas abuser de vin rouge si on veut profiter de ses propriétés protectrices. La consommation quotidienne recommandée est de deux verres.

Précautions

Il faut bien laver les raisins avant de les consommer, car leur peau contient des matières contaminantes composées de polluants, de résidus de pesticides et de moisissures.

Achat et conservation

Les raisins se conservent bien au réfrigérateur, ils supportent même la congélation pendant quelques jours.

Quant au vin, il se conserve longtemps, on s'entend même pour dire que de bonnes bouteilles gagnent à reposer durant plusieurs années avant d'être consommées. Une épreuve qui se conclut par un plaisir.

Dans la cuisine

Le raisin se croque nature et se mange cru; il accompagne bien les plats de crudités, les salades de légumes et de fruits, les assiettes de fromages, et il surprend agréablement lorsqu'on l'ajoute à des plats de gibier en sauce.

Recettes

- Confiture de raisins frais (p. 136)
- Gâteau à la courgette au cacao (huile) (p. 237)
- Gâteau à la courgette aux deux farines (huile) (p. 238)
- Mélange de céréales maison (huile) (p. 139)
- Müesli maison (raisins secs) (p. 143)
- Muffins au son et aux figues (raisins secs) (p. 141)
- Riz brun aux amandes (raisins secs) (p. 185)
- Sauce tiède aux figues et aux fruits secs (raisins secs) (p. 239)

Mariage parfait

Une salade de couscous au persil ou au quinoa (voir recette, p. 216), garnie de raisins frais, présente une forte teneur en micronutriments peu caloriques (tomate, citron et menthe fraîche), mais possède des propriétés protectrices. L'huile d'olive fournit des acides gras insaturés nécessaires à la protection des vaisseaux sanguins.

Astuce culinaire

Faites tremper des raisins, des rouges et des verts, dans un peu d'huile d'olive avec des brindilles de thym ou de romarin et des zestes d'agrumes. Laissez-les mariner une heure ou deux avant de les enfiler en alternance sur des brochettes. Placez-les sur le gril à la fin de la cuisson de vos grillades de légumes, de viande ou de poisson.

L'huile de pépins de raisin est riche en acides gras polyinsaturés de sorte qu'en chauffant, elle n'entraîne la formation d'aucun produit de dégradation toxique, ce qui en fait une excellente huile à cuisson.

Truc beauté

Adoucir la peau rugueuse

Écrasez quelques raisins dans du miel. Appliquez sur la peau et laissez reposer 20 minutes. Rincez à fond la partie traitée et tapotez-la avec une serviette sans frotter.

Bon à savoir

Le raisin rouge aurait une longueur d'avance sur le vin blanc en matière de santé. En effet, selon des études récentes, le vin rouge contiendrait environ deux fois plus de composés phénoliques que le raisin vert et une qualité antioxydante presque deux fois plus élevée.

Selon des études récentes, il faudrait absorber trois fois plus de jus de raisin que de vin pour obtenir les mêmes effets protecteurs.

Riz

Avec le blé, le riz est la céréale la plus consommée dans le monde. Parmi les 8 000 variétés recensées sur les cinq continents, c'est le riz complet, à grain long et brun, qui demeure le plus nutritif. Très digeste, il est riche en sels minéraux et contient des fibres solubles ayant la propriété de diminuer les risques d'affections cardiaques et de divers types de cancer.

Bénéfices santé

- Abaisse le taux de cholestérol sanguin
- Abaisse la tension artérielle
- Combat la diarrhée
- Diminue les risques de cancers du côlon, du sein et de la prostate
- Diminue les risques de maladies cardiovasculaires
- Soulage des affections rénales

Traitement maison

Contre la diarrhée

Depuis des siècles, les mères font boire à leurs enfants de l'eau de riz pour combattre la diarrhée. Il suffit de faire bouillir ½ tasse (125 ml) de riz brun qu'on aura pris soin de rincer dans 4 tasses (1 litre) d'eau salée durant une dizaine de minutes.

Bon usage

Il y a un net bénéfice à consommer du riz complet plusieurs fois par semaine en raison de ses propriétés protectrices.

Comme le riz ne contient pas de gluten, il est parfaitement toléré par les gens atteints de la maladie cœliaque.

Précautions

Le riz blanc, au cours des diverses étapes qu'il subit pour le rendre propre à la consommation, est débarrassé de ses couches nutritives, ce qui diminue sa teneur en fibres et amoindrit ses effets bénéfiques. Cependant, on lui ajoute de la thiamine et de la niacine, ce qui le rend riche en vitamine B_3.

Achat et conservation

On peut se procurer toutes sortes de riz : à grain court, qui convient bien aux sushis et aux puddings; arborio, pour les risottos; à grain long, comme le wehani; parfumé, comme le basmati; au jasmin ou thaïlandais. C'est toutefois le riz complet, rouge, brun ou noir, qui s'avère le plus nutritif. Parce qu'il rancit rapidement, il faut le conserver au réfrigérateur où ses vertus seront préservées pendant un an.

Dans la cuisine

Le riz rend de grands services en cuisine, surtout en Orient où on le considère comme un ingrédient indispensable à tout bon repas. Partout ailleurs, on l'utilise abondamment, du potage au dessert.

On distingue les riz à grain court et demi-long, très riches en amidon et qui ont tendance à coller en fin de cuisson. Ils entrent principalement dans la composition de potages et de desserts.

Le riz à grain long contient un autre type d'amidon qui permet aux grains de se détacher après la cuisson. Il est le plus largement consommé en Occident où ses usages sont multiples.

Recettes

- Riz au cari et aux pistaches (p. 184)
- Riz aux poireaux, aux herbes et aux champignons (p. 185)
- Riz brun aux amandes (p. 185)
- Rouleaux au chou chinois (p. 205)
- Tourte indienne au riz et à la patate douce (p. 186)

Astuce culinaire

On peut parfumer le riz de diverses manières et lui ajouter une multitude d'aliments qui lui confèrent leur propre saveur.

Par exemple, on peut y incorporer des légumes avant la cuisson, mais aussi des fruits secs, des légumineuses tels des pois chiches ou des lentilles, des noix et des épices, du fromage, de la viande, des coquillages, des crustacés et du poisson.

Bon à savoir

Le riz sauvage est un plante aquatique cultivée par des Indiens d'Amérique qui appartient à une tout autre famille que le riz. Très riche en protéines, le riz sauvage contient huit acides aminés essentiels, ce qui l'apparente à l'avoine sur le plan nutritif. Sa cuisson est plus longue que le riz complet et peut durer 60 minutes.

Le riz à long grain brun classique, ou riz complet, à l'agréable saveur de noisette, est soumis à un polissage élémentaire, car on ne lui ôte que la balle protectrice et non les couches de son, ce qui lui conserve plus de vitamines, de substances minérales et de fibres que le riz blanc classique ou étuvé.

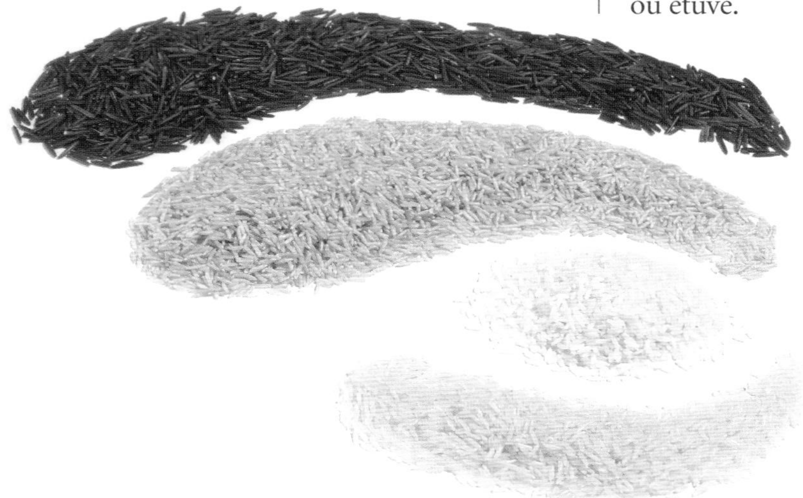

Sarrasin

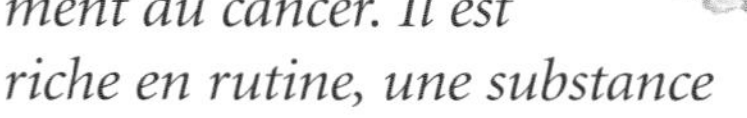

Fruit d'une plante annuelle qui s'apparente à la rhubarbe et à l'oseille, le sarrasin est un aliment complet qui renferme des composés aminés ayant la réputation d'inhiber le développement du cancer. Il est riche en rutine, une substance qui améliore la circulation sanguine et réduit l'hypertension. Parce que le sarrasin ne contient pas de gluten, il est fortement recommandé aux personnes atteintes de la maladie cœliaque ou souffrant de problèmes digestifs.

Bénéfices santé

- Facilite la circulation sanguine
- Prévient les hémorragies
- Réduit la tension
- Soulage des problèmes digestifs

Bon usage

Le sarrasin est particulièrement recommandé aux diabétiques, car les glucides qu'il contient se digèrent plus lentement. En raison de son effet rassasiant, il est également conseillé aux personnes qui désirent perdre du poids.

Précautions

Contrairement à ce qu'on pourrait croire, c'est la farine allégée que conseillent les spécialistes, qui la préfèrent à la version complète parce qu'elle contient plus de nutriments.

Achat et conservation

Le sarrasin se conserve comme les autres farines, dans un contenant hermétique rangé dans un endroit sec à l'abri de la lumière.

Dans la cuisine

La farine sert surtout à préparer des crêpes et des gâteaux, tandis que le grain entier, le kasha, permet de faire de bons gruaux et de délicieux puddings.

Recettes

- Crème *budwig* (p. 137)
- Galettes de sarrasin (p. 138)
- Gâteau à la courgette aux deux farines (p. 238)
- Muffins au sarrasin, aux pommes et aux betteraves (p. 140)
- Terrine au sarrasin ou végé-pâté (p. 159)

Astuce culinaire

On peut remplacer la farine de blé par de la farine de sarrasin dans les gâteaux, muffins et croustillants.

Bon à savoir

On consomme le sarrasin en abondance au Japon, ce qui expliquerait le faible taux d'incidence de cancer dans ce pays.

Seigle

Très populaire en Europe de l'Est, en Scandinavie et en Russie, pays où les cas d'athérosclérose et de maladies cardiovasculaires sont pratiquement inexistants, le seigle sert presque exclusivement à la fabrication du pain. Le seigle est une bonne source de vitamine E, de vitamines du groupe B et de sels minéraux, et il renferme de la rutine, une substance qui facilite la circulation sanguine. On le recommande plus particulièrement aux sédentaires.

Bénéfices santé

- Abaisse la tension artérielle
- Prévient l'athérosclérose
- Protège contre les maladies cardiovasculaires

Bon usage

Délicieux lorsqu'on le fait griller, le pain de seigle remplace avantageusement le pain de blé au petit-déjeuner et devrait être consommé en alternance avec celui-ci. La consommation régulière de pain de seigle garde la peau saine et fraîche, et retarde l'apparition des rides.

Précautions

Comme le blé, l'avoine et l'orge, le seigle contient différentes sortes de protéines, dont les gliadines, toxiques pour les intolérants au gluten.

Achat et conservation

Le seigle possède une texture qui rappelle celle du blé, mais il est plus foncé et sa saveur est plus marquée. On l'offre entier et traité, et il se conserve comme les céréales, dans un endroit frais et sec, à l'abri de la lumière.

Dans la cuisine

Il se cuisine comme la plupart des céréales et on le cuit entre 60 et 90 minutes en doublant son volume d'eau.

Recette

- Mélange de céréales maison (p. 139)

Astuce culinaire

Le pain de seigle fait de délicieux sandwichs et de savoureux burgers santé, garnis d'une rondelle d'oignon, d'une tranche de tomate et de fromage de chèvre.

Bon à savoir

Le seigle est actuellement en voie de disparaître, remplacé par un croisement de seigle et de blé, le triticale, ou d'un mélange de ces deux céréales cultivées ensemble, le méteil.

Soja

Fruit d'une plante originaire d'Asie, le soja est consommé depuis des millénaires par les Chinois, qui l'appelaient jadis «viande de la terre». Des études récentes menées en Occident ayant mis en évidence les innombrables vertus de cette fève miraculeuse, la plupart des pays du monde ont rapidement intégré à leur alimentation divers aliments à base de soja. On a en effet découvert que le tofu, le tempeh et les boissons de soja ont des pouvoirs thérapeutiques puissants en plus d'être riches en sels minéraux et en vitamines. Et si les recherches entreprises pour explorer les bienfaits du soja n'en sont encore qu'au stade préliminaire, les possibilités sont réjouissantes car elles sont infiniment prometteuses pour la santé des hommes et des femmes.

Bénéfices santé

- Abaisse le taux de mauvais cholestérol
- Favorise le transit intestinal
- Prévient les maladies cardiovasculaires
- Réduit les risques de cancers du sein, de la prostate et du côlon
- Soulage des symptômes liés à la ménopause
- Stabilise le sucre sanguin

Traitement maison

Contre le mauvais cholestérol

Pour réduire le taux de mauvais cholestérol, on recommande une consommation de 25 grammes de protéines de soja par jour. Toutefois le produit consommé doit être faible en gras (moins de 3 g), faible en gras saturé (moins de 1 g) faible en cholestérol (moins de 20 mg) et sans gras ajoutés.

Bon usage

Des études récentes laissent entendre que la consommation quotidienne d'une portion d'un aliment à base de soja suffirait à réduire les risques de cancer.

Précautions

On déconseille les produits fermentés du soja aux personnes sensibles aux effets des moisissures. L'allergie au soja s'est intensifiée durant les dernières années dans la population adulte, sans doute à cause de l'utilisation croissante de produits dérivés du soja dans l'industrie alimentaire.

Le tofu est une source de calcium intéressante à condition que le coagulant utilisé dans sa composition soit du chlorure ou du sulfate de calcium. Lisez soigneusement les inscriptions sur l'emballage pour vous assurer que l'un de ces ingrédients y figure.

Achat et conservation

Il existe nombre d'aliments à base de soja: substituts de viande prenant l'apparence de burgers et de saucisses fumées, farine de soja, boissons de soja aromatisées, tempeh, protéines de soja texturées et, sans doute le plus populaire parce qu'il se prête à toutes les préparations culinaires, le tofu, disponible en version crémeuse ou ferme.
Le tofu est un fromage de haricots fait à

partir du lait de soja. Lorsque le contenant est ouvert, le tofu se conserve environ cinq jours au réfrigérateur dans un bol d'eau qu'on prendra soin de changer quotidiennement.

Dans la cuisine

On pourrait dire du tofu qu'il est un aliment caméléon en ce sens qu'il emprunte la saveur des aliments auxquels on l'ajoute, comme pour mieux faire oublier son absence de goût. Il est donc souvent préférable de le faire mariner avant de l'utiliser. Pour profiter de tous ses bienfaits, on recommande aussi de ne pas trop le cuire et de l'introduire en fin de cuisson. Il entre dans la composition des plats les plus variés qui vont des potages au dessert.

Recettes

- Boisson à l'orange et aux cerises (p. 135)
- Burgers au tofu (p. 191)
- Chili au tofu (p. 197)
- Lait de soja à la mangue (p. 139)
- Mayonnaise au tofu (p. 224)
- Quiche au millet, au tofu et aux lentilles (p. 203)
- Sauce bolognaise sans viande (p. 206)

Astuce culinaire

Les personnes qui désirent diminuer leur consommation de viande y parviendront progressivement en intégrant des cubes de tofu aux plats en sauce et aux ragoûts préparés avec de la viande. C'est du reste une bonne façon d'expérimenter de nouvelles recettes.

Marinade pour tofu ou tempeh

Mélangez trois parts égales d'huile d'olive, de vinaigre de cidre et de sauce tamari auxquelles vous ajouterez une gousse d'ail émincée, 1 c. à thé de gingembre râpé, 1 c. à thé de coriandre et de cumin moulus, et des flocons de piments. Déposez un bloc de tofu ou de tempeh et laissez mariner 2 heures avant de l'ajouter à des sautés ou à des ragoûts, et laissez cuire une dizaine de minutes.

Bon à savoir

Du point de vue des protéines, le soja est le seul aliment végétal qui puisse se comparer à la viande, au poisson et aux œufs. La consommation simultanée de produits dérivés du soja et de produits céréaliers assure une parfaite complémentarité des protéines, un avantage certain dans les régimes végétariens.

Thé

Si le thé est aujourd'hui la boisson que l'on consomme le plus dans le monde, les propriétés thérapeutiques de ses feuilles séchées étaient déjà connues des Chinois il y a plus de 4 000 ans. En plus de favoriser la digestion, le thé aurait selon des hypothèses récentes des effets inhibiteurs sur plusieurs types de cancer et ferait échec aux maladies cardiovasculaires. Boisson peu calorique, à condition qu'on ne lui ajoute ni lait ni sucre, le thé est faible en sodium.

Bénéfices santé

- Abaisse la tension artérielle
- Améliore temporairement les fonctions cognitives
- Combat l'athérosclérose
- Diminue les risques de cancer
- Enraye la diarrhée
- Facilite la digestion
- Détruit les virus et les bactéries
- Prévient la carie dentaire et la parodontite

Bon usage

Une tasse de thé prise entre les repas remplace avantageusement une tasse de café du strict point vue de ses propriétés thérapeutiques. Mais comme le thé contient lui aussi de la caféine, il est préférable de se limiter à trois tasses par jour.

Précautions

Les tanins que contiennent le thé peuvent ralentir l'absorption de certains minéraux, comme le fer, contenus dans les aliments. On peut contrer cet effet en consommant le thé entre les repas, ou encore en ajoutant à son menu quotidien des aliments riches en fer.
Une consommation fréquente de thé peut causer des taches brunes sur les dents.

À cause des possibles effets de la théine, on recommande de s'abstenir d'en boire durant la grossesse.

La consommation devrait être modérée durant la période d'allaitement pour éviter les problèmes de sommeil des bébés.

On déconseille de donner du thé à des bébés et à des enfants, qui peuvent mal réagir aux tanins et à la théine.

Achat et conservation

Parmi les variétés les plus connues, mentionnons le thé noir (le Darjelling et le *breakfast tea* des Anglais), le thé oolong, fabriqué à partir de feuilles de thé vert ayant été partiellement séchées et chauffées, et le thé vert proprement dit, à saveur plus amère quoique tout aussi désaltérant. Le thé se conserve aisément dans un contenant hermétique et opaque, mais jamais au réfrigérateur, le froid lui faisant perdre ses arômes.

Dans la cuisine

Boisson digestive par excellence, le thé fait un point final agréable à un repas.

Recette

- Thé vert au gingembre et à la menthe (p. 246)

Truc santé

Du thé déthéiné

On peut déthéiner partiellement le thé en jetant l'eau d'une première infusion (une minute) et en faisant infuser de nouveau, car la théine se diffuse très rapidement dans l'eau.

Truc beauté

Poches antipoches

Pour éliminer les poches sous les yeux et détendre les muscles, placez des sachets de thé refroidis encore humides sur vos paupières pendant quelques minutes.

Bon à savoir

Le thé est riche en flavonoïdes, ces substances qui ont des pouvoirs antioxydants sur tout l'organisme. Selon certaines études, une tasse de thé apporterait autant de bénéfices qu'un verre de vin rouge, sans les inconvénients. Les flavonoïdes auraient aussi des effets bénéfiques sur les cancers du tube digestif et de la peau. Par ailleurs, la santé des os semble meilleure chez les buveurs qui en consomment depuis plus de 10 ans. Enfin, la consommation de thé semble stimuler l'action de l'insuline chez les diabétiques, ce qui aurait un effet favorable sur le taux de sucre dans leur sang.

Contrairement à une idée très répandue, le thé vert ne fait pas maigrir. Par contre. une tasse de thé ne contient quasiment pas de calories à condition qu'on n'y ajoute ni sucre ni lait. C'est donc une boisson qui ne fait pas prendre un gramme.

Les sachets de thé contiennent autant d'antioxydants que les feuilles. Pour profiter de toutes les vertus du thé, il suffit que la durée d'infusion soit la même, soit environ trois minutes.

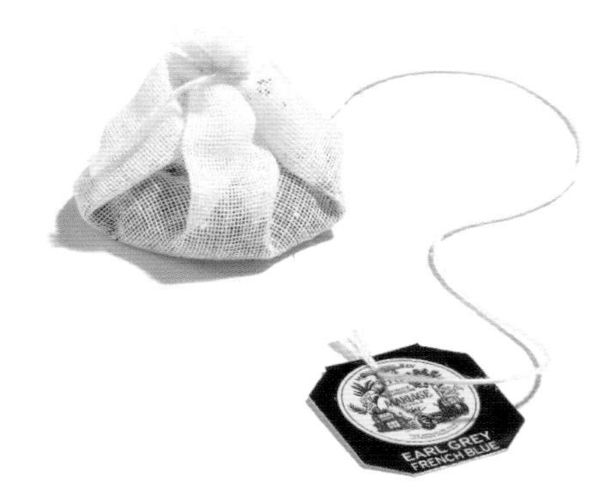

Tomate

Fruit d'une plante d'origine mexicaine, la tomate est riche en vitamines A, B et C, et contient en abondance des sels minéraux et des oligo-éléments. Peu calorique, elle contient des lycopènes qui lui donnent sa belle couleur rouge, une substance proche parente du bêta-carotène et dont les effets se sont montrés très efficaces pour lutter contre le cancer de la prostate. Contrairement à ce que l'on croit généralement, malgré son goût acide la tomate est un alcalinisant que les arthritiques, les rhumatisants et les goutteux peuvent intégrer sans danger à leur menu.

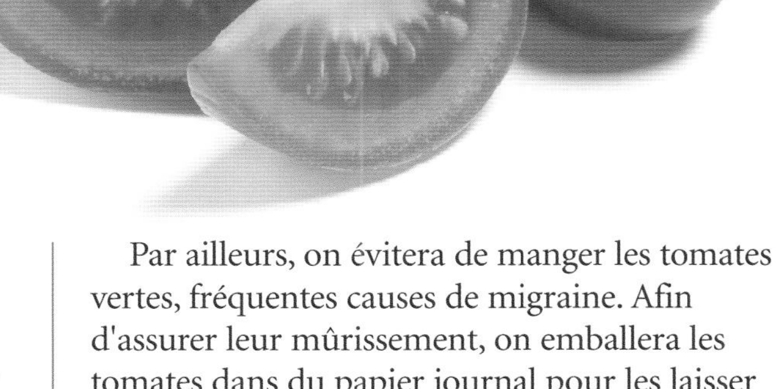

Bénéfices santé

- Contribue à prévenir l'appendicite
- Cuite, diminue les risques de cancer (côlon, estomac, prostate, poumon, sein et endomètre)
- Facilite la digestion des féculents et des amidons
- Prévient les cataractes

Bon usage

Consommée quotidiennement, crue, nature, en salade, séchée ou cuite, la tomate réduit les effets nocifs des radicaux libres et, selon des résultats de recherches récentes, elle peut prévenir plusieurs types de cancer. Des études fiables montrent en effet que les personnes qui en consomment au moins sept fois par semaine, peu importe sous quelle forme, courent la moitié moins de risques de souffrir de cancers.

Précautions

Consommée en abondance, la tomate peut causer des allergies et affecter les estomacs des personnes sujettes aux brûlures d'estomac.

Par ailleurs, on évitera de manger les tomates vertes, fréquentes causes de migraine. Afin d'assurer leur mûrissement, on emballera les tomates dans du papier journal pour les laisser quelques jours à la température ambiante.

Les personnes allergiques à l'aspirine doivent s'abstenir de manger ce fruit.

Achat et conservation

La couleur est souvent un bon critère quand il s'agit de choisir des aliments. La tomate bien mûre et d'un beau rouge est meilleure au goût et plus bénéfique pour la santé, car elle contient quatre fois plus de bêta-carotène que ses sœurs encore vertes, qui n'ont pas atteint leur maturité. Il est inutile de la garder au réfrigérateur, elle se conserve quelques jours à la température ambiante.

Dans la cuisine

Polyvalente à souhait, la tomate se sert de l'entrée au dessert et s'accommode à toutes les sauces. C'est un aliment essentiel en cuisine qui prête sa saveur à une variété de mets chauds ou froids.

Recettes

- Épinards et tomates gratinés (p. 152)
- Fenouil braisé à la sauce tomate (p. 181)
- Pâtes courtes à l'anchoïade (p. 202)
- Ratatouille niçoise (p. 155)
- Salade de tomates au basilic frais (p. 158)
- Spaghettis à l'aubergine et aux champignons shiitakes (p. 207)
- Sauce aux tomates fraîches (p. 226)
- Salade de pâtes potagère (p. 217)
- Lasagnes aux épinards et aux champignons (p. 200)
- Tagliatelles à la sauce aux lentilles (p. 208)
- Tomates gratinées aux noix (p. 159)

Astuces culinaires

Enlever la peau d'une tomate et l'épépiner

Il vaut mieux peler les tomates fraîches lorsqu'on les fait cuire. Pour y parvenir facilement, incisez en croix la base d'une tomate et plongez-la dans l'eau bouillante durant une minute environ, puis dans l'eau glacée.

Après quelques secondes, le temps qu'elle tiédisse, la peau devrait s'enlever rapidement.

Pour l'épépiner, coupez la tomate en deux horizontalement et retirez-en les graines en la pressant doucement.

Tomates séchées

Préparez vos propres tomates séchées. Coupez des tomates italiennes en deux (si elles sont petites) ou en tranches, et répartissez-les sur une plaque à cuisson. Faites cuire à 200 °F (100 °C) jusqu'à ce que les tomates soient séchées, soit de 6 à 24 h. Conservez-les au congélateur.

Truc beauté

Une peau saine, un teint frais

Pour débarrasser votre peau des impuretés, rien ne vaut un masque à la tomate. Il suffit de peler et d'épépiner une tomate, de l'écraser à la fourchette et de l'appliquer sur le visage une quinzaine de minutes. Rincez ensuite à l'eau tiède.

Truc santé

Des feuilles antidémangeaisons

Des feuilles de tomates froissées que l'on frotte sur les piqûres d'insectes soulagent des démangeaisons.

Bon à savoir

La cuisson conserve à la tomate ses propriétés bénéfiques et libère davantage les lycopènes, une substance qui lutte efficacement contre le cancer.

Topinambour

Tubercule d'une plante potagère vivace, le topinambour contient beaucoup de fibres et c'est l'un des aliments les plus riches en potassium. Son apparence quelconque en a fait un grand négligé de nos menus malgré le fait qu'il soit originaire d'Amérique, mais les gourmets redécouvrent depuis peu son fin goût d'artichaut. Les femmes qui allaitent profiteront de ses propriétés, les personnes désireuses de perdre du poids apprécieront qu'il contienne moins d'amidon que la pomme de terre, et sa saveur sucrée plaira aux diabétiques qui pourront le consommer sans risque.

Bénéfices santé

- Favorise la sécrétion lactée
- Prévient l'hypertension
- Procure de l'énergie

Bon usage

Il remplace avantageusement la pomme de terre, car il est moins calorique. L'inclure dans son menu permet de profiter de sa forte teneur en potassium.

Précautions

Peut causer de la flatulence aux personnes qui n'ont pas l'habitude d'en consommer. On peut toutefois contrer cet effet désagréable en le faisant braiser plutôt que cuire à l'eau bouillante.

Achat et conservation

Choisissez des topinambours fermes dont la peau n'est pas abîmée.

Dans la cuisine

Cuit, cru, mariné, au gratin, en purée, il se cuisine aussi aisément que la pomme de terre.

Recette

- Poêlée de champignons et de topinambours (p. 183)

Astuce culinaire

Le plonger dans l'eau citronnée ou acidulée dès qu'il est coupé l'empêche de noircir.

Bon à savoir

Il est préférable de ne pas le cuire à l'eau, car les nutriments qu'il contient disparaîtront au cours de la cuisson.

Il est conseillé aux personnes qui désirent perdre du poids, car il augmente la sensation de satiété.

Vinaigre de cidre

Le vinaigre de cidre est reconnu depuis longtemps pour traiter nombre de maux et d'infections. Il contient plusieurs sels minéraux et offre une bonne concentration de phosphore et de potassium. Il possède plusieurs propriétés médicinales, surtout lorsqu'il n'est pas pasteurisé. Les naturopathes prônent l'emploi de vinaigre de cidre pour plusieurs usages médicaux, notamment pour faciliter la digestion, soigner l'arthrite et l'ostéoporose, et l'utilisent comme immunostimulant. Ses propriétés antiseptiques, astringentes et rafraîchissantes sont bien établies, ce qui le rend très utile en usage externe comme remède maison.

Bénéfices santé

- Abaisse la tension artérielle
- Atténue la fatigue chronique
- Favorise la digestion
- Protège des gastro-entérites
- Soulage de l'arthrite
- Soulage des démangeaisons (érythème fessier, psoriasis, pied d'athlète, hémorroïdes, vaginite, pellicules)
- Soulage des maux de gorge
- Soulage des maux de tête dus à une mauvaise digestion
- Stimule l'appétit
- Traite les infections aux reins et à la vessie

Traitements maison

Bonne digestion

Pour faciliter la digestion, mélangez 1 c. à soupe de vinaigre de cidre à un verre d'eau chaude et buvez avant chaque repas.

Contre le mal de gorge

Dès les premiers symptômes, on recommande de se gargariser 3 ou 4 fois par jour avec une solution composée de 1 à 2 c. à soupe de vinaigre de cidre diluée dans un verre d'eau tiède.

En cas de bouchon

Après avoir enlevé le dépôt de cire (cérumen), mettez dans l'oreille quelques gouttes d'une solution faite à parts égales d'eau et de vinaigre. Ce remède maison rétablit l'acidité du conduit auditif, ce qui empêche le développement de bactéries.

Précautions

Déconseillé aux personnes souffrant d'ulcères et de maux d'estomac, le vinaigre de cidre peut également provoquer des allergies s'il est consommé régulièrement. Si vous désirez profiter de ses vertus, allez-y progressivement avant de l'intégrer de façon régulière dans votre alimentation.

Il est déconseillé d'utiliser du vinaigre pour blanchir les dents, car l'acidité qu'il provoque dans la bouche crée un terrain favorable au développement des bactéries formant la plaque dentaire.

Achat et conservation

Assurez-vous de vous procurer un vinaigre non filtré et non pasteurisé si vous désirez profiter de tous ses bienfaits. Comme tous les vinaigres, le vinaigre de cidre se conserve très longtemps.

Dans la cuisine

Le vinaigre de cidre entre dans la composition d'excellentes vinaigrettes et rehausse à merveille des pâtes froides auxquelles on a ajouté des légumes cuits ou crus.

Recettes

- Confiture de raisins frais (p. 136)
- Vinaigrette aux mille vertus (p. 227)
- Vinaigre aux bleuets (p. 227)

Truc beauté

Des cheveux lustrés

Mélanger 6 c. à soupe de vinaigre de cidre à 2 tasses d'eau tiède fait une eau de dernier rinçage efficace sur des cheveux frais lavés.

Un teint resplendissant

Une part de vinaigre de cidre et sept parts d'eau font un excellent astringent sur le visage fraîchement nettoyé.

Bon à savoir

Le vinaigre de cidre est fait de cidre qui a fermenté. Sous l'action de bactéries et de levures, l'exposition du liquide à l'air favorise la production d'acide acétique et de centaines d'autres substances.

Un bon vinaigre de cidre doit être produit avec patience dans des barils de chêne, préférablement avec des pommes biologiques ou de culture écologique. Les vinaigres de vin ou de riz sont produits de la même manière.

Yogourt

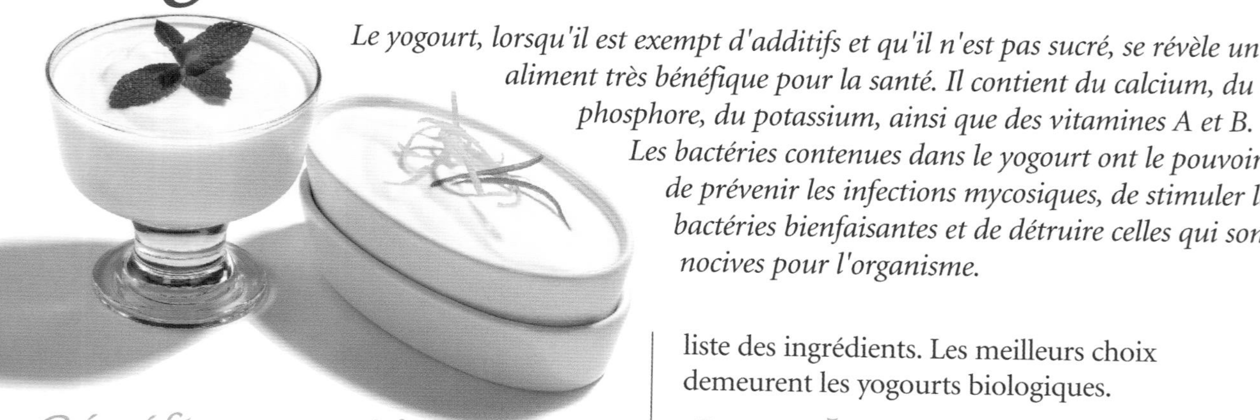

Le yogourt, lorsqu'il est exempt d'additifs et qu'il n'est pas sucré, se révèle un aliment très bénéfique pour la santé. Il contient du calcium, du phosphore, du potassium, ainsi que des vitamines A et B. Les bactéries contenues dans le yogourt ont le pouvoir de prévenir les infections mycosiques, de stimuler les bactéries bienfaisantes et de détruire celles qui sont nocives pour l'organisme.

Bénéfices santé

- Favorise la digestion
- Lutte contre les intoxications alimentaires
- Prévient les infections
- Soulage des ulcères
- Stimule le système immunitaire

Bon usage

On recommande de manger tous les jours une portion de yogourt nature qui fournit plus de 40 % de la dose quotidienne de calcium recommandée. Le yogourt est par ailleurs particulièrement indiqué après une cure d'antibiotiques, car il permet de restaurer la flore intestinale.

Précautions

Sachant qu'après quelques semaines de conservation sa teneur en bactéries s'abaisse considérablement, il vaut mieux le manger frais si on veut profiter de la totalité de ses bienfaits.

Achat et conservation

On évitera les yogourts sucrés et ceux auxquels on a ajouté des colorants, des additifs alimentaires, des parfums chimiques ou encore de la gélatine. Lisez attentivement l'étiquette et, si vous tenez à manger des yogourts aux fruits, choisissez ceux dont les fruits apparaissent en tête de liste des ingrédients. Les meilleurs choix demeurent les yogourts biologiques.

Dans la cuisine

Le yogourt est le complément idéal des petits-déjeuners et compose aussi de savoureuses collations lorsqu'on le combine à des fruits frais. Il est sans égal pour adoucir les ragoûts épicés et les caris, remplace avec profit la crème sure et la mayonnaise, ou se combine avec bonheur dans les sauces froides.

Recettes

- Crème *budwig* (p. 137)
- Coupe apéritive aux trois fruits (p. 137)
- Mayonnaise au tofu (p. 224)
- Sauce au yogourt, au concombre et à l'ail (p. 225)
- Salade de papaye, de crevettes et de kiwis (p. 158)
- Trempette au yogourt, au cari et à l'ananas (p. 226)
- Yogourt croustillant aux nectarines (p. 143)

Astuce culinaire

Un fromage de yogourt

Pour un yogourt épais et savoureux, laissez-le égoutter toute une nuit au réfrigérateur dans une passoire doublée d'une mousseline.

Bon à savoir

Parce que le yogourt supporte mal la chaleur et qu'il perd à son contact ses propriétés, il faut l'ajouter à des plats chauds à la fin de leur cuisson.

Deuxième partie

Les trois S de la cuisine

saine • simple • savoureuse

Faire la cuisine est une manière de participer intimement au maintien de notre bien-être. Lorsque nous cuisinons, la relation sensuelle que nous établissons avec la nourriture – voir, toucher, palper, humer, goûter – nous rapproche de nos besoins profonds. Grâce à ce rapport privilégié, bien des gens apprennent à reconnaître les aliments qui ont le pouvoir de leur faire du bien. Cela n'a rien de mystérieux, c'est la suite logique de tout apprentissage, on apprécie mieux ce que l'on connaît davantage et l'on en retire les meilleurs bienfaits.

Même si vous n'avez pas découvert encore ce plaisir d'apprêter les aliments et d'en apprécier les vertus, même si vous n'avez pas l'habitude de faire la cuisine, vous n'éprouverez aucune difficulté à exécuter les recettes que vous propose ce livre. Toutes ont été conçues pour répondre aux trois critères d'exigence que nous nous sommes fixés pour composer nos plats : sains, simples à préparer, savoureux. Toutes les recettes ont été élaborées principalement avec les aliments du répertoire et toutes ont été créées avec une double préoccupation, celle de mettre en valeur leurs propriétés curatives et d'en faire ressortir les saveurs. Regroupées de manière à composer facilement des menus pour tous les jours de la semaine, ces recettes vous aideront à mettre en pratique ce que vous avez appris sur les extraordinaires propriétés de ces médicaments naturels qu'il importe d'intégrer à un régime alimentaire équilibré.

Le choix des aliments

Si votre santé vous préoccupe et que vous désirez la préserver à tout prix, vous êtes sans doute parmi les personnes de plus en plus nombreuses qui achètent régulièrement des **aliments biologiques**, c'est-à-dire des aliments qui n'ont pas été traités avec des pesticides. Si ce n'est pas votre cas, vous auriez tort de vous priver de consommer des fruits et des légumes crus par crainte d'une éventuelle contamination. Les experts sont formels, ces aliments guérisseurs ne renferment qu'une quantité négligeable de résidus et ne risquent nullement d'endommager la santé. Bien laver les fruits et les légumes à l'eau courante avant de les manger suffit à réduire les risques associés à la présence de bactéries et supprime les résidus éventuels.

Cependant, pour profiter de toutes leurs vertus, il importe de choisir des **produits frais** et se rapprochant le plus possible de leur état naturel. Si les surgelés sont pratiques, ils ne conservent pas hélas ! toutes leurs qualités. Les procédés nécessaires à la transformation des légumes et leur exposition à la chaleur et à l'eau ont souvent pour effet de laisser s'échapper leurs précieux nutriments. Par exemple, sous l'effet de la chaleur, une partie des fibres insolubles se transforment en fibres solubles et le potassium qu'ils contiennent peut être aisément éliminé. Quant à leur teneur en vitamines, les pertes peuvent varier entre 10 % et 40 %. En conséquence, s'il vous est impossible de vous procurer des fruits et des légumes frais tout au long de l'année, congelez-les vous-même en saison après avoir effectué un simple blanchiment.

Pour rehausser le goût des mets et développer leur saveur, rien ne vaut les **herbes aromatiques**. La plupart ont elles-mêmes des propriétés médicinales, ce qui leur confère encore plus d'attraits. Plusieurs magasins d'alimentation proposent des herbes fraîches; basilic, menthe, estragon, coriandre, sauge et thym sont offerts toute l'année. Toutefois, durant l'été, il est facile et agréable d'avoir à portée de la main son propre jardin d'herbes, devant une fenêtre ou sur le balcon. Les épices ont elles aussi un rôle essentiel à jouer dans la cuisine. Achetez-les en vrac, non moulues, et préparez vous-même vos mélanges, en prenant soin de bien identifier les flacons. Vos plats n'en seront que plus variés et vous gagnerez un temps précieux. Vous aurez vite fait de composer vos propres recettes après avoir consulté les mélanges que nous vous proposons dans la section des recettes complémentaires, à la page 248.

La composition des menus

Parce que vous êtes la personne la mieux placée pour élaborer les menus qui vous conviennent, le présent ouvrage ne contient pas de suggestions de menus complets. Vous connaissez bien votre état de santé, vous savez mieux que personne quels sont vos besoins en nutriments à présent que vous savez quels sont les aliments qui vous protègent le plus adéquatement contre les affections. Vous êtes donc en mesure de faire les meilleurs choix. Cependant, vous auriez tort de consommer un aliment que vous ne connaissez pas et d'en faire un usage excessif, encore moins une cure, sans consulter un spécialiste de la nutrition. Il importe de garder à l'esprit que c'est la variété des aliments guérisseurs qui procure le plus d'avantages pour le maintien de la santé. Si vous avez découvert un aliment que vous désirez intégrer à votre alimentation, faites-le progressivement et ne le consommez jamais avec excès durant les premiers jours. Si vous avez pris connaissance du répertoire de la première partie, vous savez que la modération et la prudence sont toujours les meilleures conseillères en matière d'alimentation.

Un équipement rudimentaire

Vous n'avez pas besoin d'une batterie de cuisine sophistiquée pour cuisiner. Il ne vous faudra que deux ou trois casseroles, un grand poêlon, un mélangeur, un petit hachoir électrique, et deux ou trois couteaux bien aiguisés. Le robot culinaire n'est pas indispensable, mais il pourrait être utile pour réaliser deux ou trois recettes. Ce qui vous sera le plus précieux, après vos dix doigts, ce sont vos papilles gustatives. Et le désir que vous aurez développé de vous nourrir sainement.

Les petits-déjeuners

Petits-déjeuners substantiels

Selon un aphorisme qui fut repris par le théoricien d'une diète amaigrissante, pour perdre du poids sans affecter sa santé, il faudrait «déjeuner comme un roi, dîner comme un prince et souper comme un mendiant». Bien que cette suggestion soit remplie de bon sens, elle risque de bousculer plusieurs de nos habitudes si nous voulons la mettre en pratique, et de modifier sensiblement notre routine matinale. Pourtant, nulle diététiste ne le contestera, aucun spécialiste de la nutrition ne voudra en nier l'évidence, le petit-déjeuner devrait être le repas le plus substantiel de la journée. Pas forcément le plus copieux, mais le plus nourrissant et le plus vitaminé, préparé de façon à fournir tous les nutriments dont l'organisme a besoin pour fonctionner adéquatement.

La meilleure façon de commencer la journée est de déguster la crème *budwig*, ce plat unique qui possède entre autres mérites celui de procurer à l'organisme tous les nutriments qui lui sont indispensables. Facile à préparer, ce petit-déjeuner se révèle délectable.

Pour toutes les personnes qui ne disposent pas des cinq ou dix minutes requises pour préparer ce délice santé, le petit-déjeuner comprendra des fruits, des céréales et des produits laitiers. Les fruits peuvent être servis sous forme de jus ou être consommés nature. Les jus ont l'avantage de combiner plusieurs fruits ayant leurs qualités propres, ce qui peut être un atout si on veut profiter d'un bon équilibre vitaminique. Si vous n'avez que peu de temps le matin pour préparer et avaler un petit-déjeuner complet, un extracteur de jus pourra être un achat utile. Mais vous pourriez aussi vous contenter de manger deux ou trois fruits, une poignée d'amandes et un yogourt, et vous seriez déjà mieux préparé à accomplir vos activités quotidiennes. Les céréales prêtes à servir qu'on trouve dans tous les magasins d'alimentation sont ordinairement très sucrées et remplies d'additifs. Il est pourtant facile et économique de préparer soi-même ses propres mélanges, et de les agrémenter de fruits secs et de noix. Les mélanges «maison» que nous vous proposons se conservent longtemps au réfrigérateur, et vous pouvez aussi bien les déguster comme dessert ou comme collation que les servir avec du lait ou une boisson au soja, avec du yogourt ou un fromage frais.

Recettes de petits-déjeuners

Boisson à l'orange et aux cerises

La vitamine C des oranges, le pouvoir antioxydant des cerises et les propriétés anticancéreuses du soja font de cette boisson un puissant tonique santé pour bien démarrer la journée.

Ingrédients (quatre portions)

2 oranges, pelées à vif et coupées en morceaux
Le zeste de 1 orange
20 cerises, dénoyautées
1 tasse (250 ml) de boisson au soja
Un peu de miel pour sucrer, au goût

Préparation

- Dans un mélangeur, mettre tous les ingrédients et actionner l'appareil.
- Servir dans de jolies coupes et décorer de cerises.

Compote d'abricots, de figues et de clémentines

Servie avec du yogourt glacé, cette sauce sucrée naturellement compose un dessert agréable, et sa forte teneur en fibres en fait une compote tonique, fortifiante et protectrice qui accompagne bien le pain grillé du petit-déjeuner.

Ingrédients

½ tasse (125 ml) de figues séchées, coupées en morceaux, les bouts secs retirés
½ tasse (125 ml) d'abricots séchés, coupés en morceaux
1 ¼ tasse (310 ml) d'eau
6 piments de la Jamaïque
1 c. à café de gingembre râpé
Le zeste râpé et le jus de ½ citron
2 clémentines pelées, en morceaux

Préparation

- Déposer les figues dans une casserole avec les abricots, l'eau, le piment de la Jamaïque, le gingembre, le jus de citron, et amener le tout à ébullition.
- Couvrir, baisser le feu et laisser mijoter 20 minutes ou jusqu'à ce que les fruits soient tendres.
- Ajouter le zeste de citron et laisser refroidir.
- Ajouter les clémentines en remuant et réfrigérer.
- Servir cette compote froide ou à la température de la pièce.
  Elle se conservera 5 jours au réfrigérateur.

Confiture de raisins frais

Cette succulente confiture se conserve plusieurs semaines au réfrigérateur.

Ingrédients

2 ½ lb (1 kg) de raisins rouges à peau fine, lavés et coupés en deux
3 tasses (750 ml) de sucre
½ tasse (125 ml) de vinaigre de cidre
¼ tasse d'eau (60 ml)
2 tranches de citron, épépinées
1 bâton de cannelle
1 c. à café de clous de girofle

Préparation

- Dans une casserole en fonte émaillée ou en acier inoxydable, déposer tous les ingrédients et porter à ébullition.
- Réduire le feu et laisser mijoter 1 h 30 ou jusqu'à ce que le raisins soient d'une belle couleur et que le liquide épaississe lorsqu'on en verse 1 cuillerée sur une assiette. Ce sirop se formant durant la dernière demi-heure, il faut surveiller cette dernière étape de cuisson.
- Laisser refroidir et remplir des bocaux en laissant un espace de 1 po (2,5 cm).
- Fermer hermétiquement.
  La confiture se conservera 1 mois au réfrigérateur, 6 mois au congélateur.

Compote de pommes, de poires et de pruneaux

Sucrée naturellement, cette compote est délicieuse au petit-déjeuner, servie avec du pain grillé ou des biscottes.

Ingrédients

½ tasse (125 ml) de pruneaux, dénoyautés
1 tasse (250 ml) de jus d'ananas
3 poires mûres, pelées et coupées en morceaux
3 pommes, pelées et coupées en morceaux
Le zeste de 1 orange

Préparation

- Faire tremper les pruneaux dans le jus d'ananas pendant 4 heures.
- Dans une casserole, faire chauffer doucement, puis ajouter les autres ingrédients.
- Porter à ébullition, baisser le feu et laisser mijoter 30 minutes.

Coupe apéritive aux trois fruits

Cette combinaison de fruits savoureux constitue un petit-déjeuner nutritif ou une collation remplie d'énergie.

Ingrédients (pour deux)

1 pamplemousse, pelé et détaillé en quartiers
1 banane bien mûre, coupée en tranches
24 cerises, dénoyautées
Le jus d'une orange fraîchement pressée et son zeste
½ tasse (125 ml) de yogourt, au naturel
Quelques amandes effilées, pour décorer

Préparation

- Répartir les fruits dans deux coupes.
- Arroser du jus et du zeste d'orange.
- Garnir de yogourt et d'amandes, et déguster sans attendre.

Crème *budwig*

Créée et popularisée par Catherine Kousmine, médecin suisse qui s'est fait connaître en mettant en lumière le rôle de l'alimentation dans le traitement de maladies graves, cette préparation réunit en un petit-déjeuner unique l'ensemble des ingrédients nécessaires au bon fonctionnement de l'organisme.

Ingrédients (pour deux)

4 c. à soupe de graines de sarrasin
4 c. à soupe de graines de lin
18 amandes
8 c. à soupe de yogourt ferme
4 c. à soupe d'huile de tournesol
Le jus de ½ citron
2 c. à soupe de miel
1 pomme hachée ou 1 banane tranchée

Préparation

- Dans un moulin à café, broyer finement les graines de sarrasin et réserver.
- Broyer, de la même façon et très finement, les graines de lin, puis, plus grossièrement, les amandes. Dans un bol, mélanger ces trois ingrédients et réserver.
- Dans un autre bol, battre le yogourt avec l'huile, ajouter le jus de citron et le miel, le fruit et la préparation de sarrasin, de lin et d'amandes.
- Servir aussitôt.

Galettes de sarrasin

Ces petites crêpes vite préparées se digèrent facilement et conviennent bien aux personnes intolérantes au gluten.

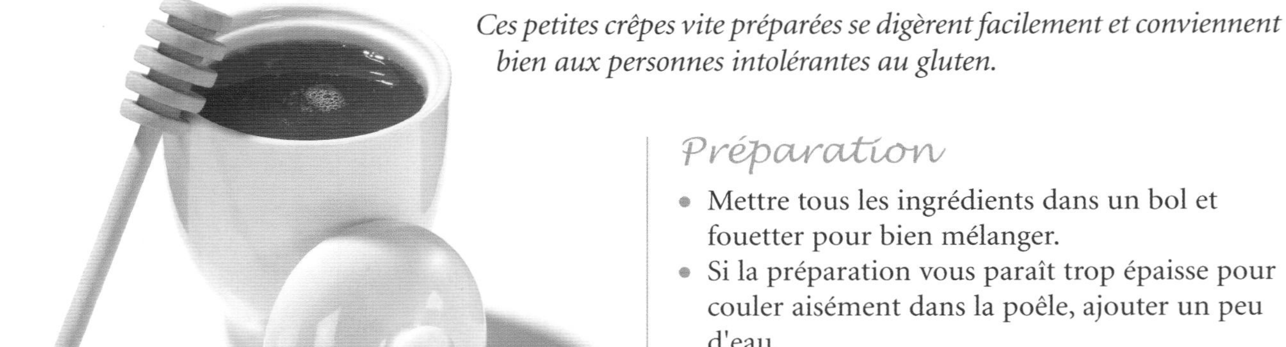

Ingrédients (pour huit galettes)

1 tasse (250 ml) de farine de sarrasin
1 ¼ tasse (310 ml) d'eau
½ c. à thé de sel
¼ c. à thé de bicarbonate de soude
¼ c. à thé de levure chimique (poudre à pâte)
Un peu de beurre ou de margarine non hydrogénée

Préparation

- Mettre tous les ingrédients dans un bol et fouetter pour bien mélanger.
- Si la préparation vous paraît trop épaisse pour couler aisément dans la poêle, ajouter un peu d'eau.
- Chauffer une poêle à feu moyen et badigeonner légèrement son centre de beurre ou de margarine.
- Verser environ ¼ tasse de la préparation au centre de la poêle et l'étendre aussitôt en tournant pour former un cercle. Dès que des petits cratères se forment sur la surface de la galette et que les rebords s'assèchent, la retourner et laisser la cuisson se poursuivre de 30 à 60 secondes.
  Ces galettes sont délicieuses accompagnées de yogourt, de confiture, de compote ou de miel.

Variante sucrée

- Ajouter 2 c. à soupe de sucre brut ou de miel, le zeste d'une orange et un soupçon de muscade à la préparation avant la cuisson.

Lait de soja à la mangue

Cette boisson vite préparée remplit bien le rôle vitaminé du jus d'orange du petit-déjeuner, car elle contient des vitamines A et C en plus de contribuer au rajeunissement cellulaire. Sa texture onctueuse en fait une collation dont raffolent les enfants.

Ingrédients (deux portions)

1 mangue bien mûre, pelée
et détaillée en bouchées
1 tasse (250 ml) de lait de soja nature
ou à la vanille
Feuilles de menthe pour garnir

Préparation

- Déposer les bouchées de mangue et le lait de soja dans le bol d'un mélangeur et mixer jusqu'à consistance onctueuse.
- Servir dans de jolies coupes, décorées des feuilles de menthe.

Mélange de céréales maison

Comme on peut varier à l'infini les mélanges de céréales et de noix, vous serez certainement tenté de faire vos propres expériences en choisissant les variétés qui vous conviennent le mieux. Voici un mélange de base sain, savoureux et facile à préparer.

Ingrédients

2 tasses (500 ml) de flocons d'avoine
(à cuisson régulière)
½ tasse (125 ml) de flocons de seigle
(ou d'épeautre)
½ tasse (125 ml) de flocons de blé
½ tasse (125 ml) d'amandes, émincées
½ tasse (125 ml) de noix de coco, râpée
½ tasse (125 ml) de graines de tournesol
¼ tasse (60 ml) de germe de blé
½ c. à café de cannelle
¼ tasse (60 ml) de miel
¼ tasse (60 ml) d'huile de pépins de raisin

Préparation

- Allumer le four à 350 °F (180 °C).
- Dans un grand bol, mélanger tous les ingrédients secs.
- Faire chauffer le miel et l'huile très légèrement (30 sec au micro-ondes suffisent).
- Incorporer aux ingrédients secs, bien mélanger et verser dans une lèchefrite ou un grand plat allant au four.
- Enfourner et cuire une vingtaine de minutes en mélangeant à mi-cuisson ou jusqu'à ce que les céréales soient d'un beau brun doré.
- Laisser refroidir et verser dans des pots hermétiques.

Se conserve jusqu'à 3 mois au réfrigérateur.

Muffins au sarrasin, aux pommes et aux betteraves

Un savoureux mariage de saveurs qui dissimule le goût des ingrédients de base sans le masquer et, surtout, sans en altérer les qualités curatives.

Ingrédients (pour huit muffins)

½ tasse (125 ml) de farine de sarrasin
¼ tasse (60 ml) de farine de blé
½ tasse (125 ml) de sucre
½ c. à thé de bicarbonate de soude
½ c. à thé de levure chimique
¼ c. à café de muscade
¼ c. à café de cannelle
Le zeste de ½ orange
½ tasse (125 ml) de betterave, râpée (1 petite betterave)
¼ tasse (60 ml) de pomme, râpée (1 petite pomme, pelée)
1 œuf
⅓ tasse (75 ml) d'huile de pépins de raisin
¼ tasse (60 ml) de graines de tournesol non salées (facultatif)

- Tamiser ensemble les ingrédients secs.
- Ajouter le reste des ingrédients et mélanger à la cuiller de bois, pas plus de 2 min, seulement pour humecter.
- Mettre dans des moules à muffins beurrés.
- Cuire au four à 350 °F (180 °C) environ 20 min.

Muffins au son et aux figues

Ces muffins au goût de mélasse et de figues, parce qu'ils sont riches en calcium, sont une délicieuse protection contre l'ostéoporose.

Ingrédients (douze muffins moyens)

1 tasse (250 ml) de son d'avoine
½ tasse (125 ml) de farine tout usage
½ tasse (125 ml) de farine de blé entier
3 c. à soupe de sucre
¾ c. à thé de bicarbonate de soude
½ c. à thé de sel
½ c. à thé de cannelle
1 gros œuf
¾ tasse (180 ml) de lait concentré (non sucré) à 2 %
⅓ tasse (75 ml) de mélasse
⅓ tasse (75 ml) d'huile de pépins de raisin (ou d'une huile légère comme l'huile de tournesol)
¼ tasse (60 ml) de figues séchées, hachées
¼ tasse (60 ml) de raisins secs
Le zeste de 1 orange

Préparation

- Allumer le four à 375 °F (190 °C).
- Dans un grand bol, mélanger le son, les farines, le sucre, le bicarbonate de soude, le sel et la cannelle.
- Dans un autre bol, battre l'œuf au fouet, puis battre ensemble le lait, la mélasse et l'huile.
- Incorporer les fruits séchés à ce mélange et ajouter le zeste d'orange.
- Verser cette préparation à base d'œuf dans le premier mélange d'ingrédients secs et remuer un peu pour humecter les farines et le son, mais sans trop mélanger.
- À l'aide d'une cuiller, déposer la pâte dans les moules à muffins huilés ou beurrés.
- Enfourner et cuire 25 minutes ou jusqu'à ce qu'un cure-dents enfoncé dans la pâte en ressorte propre.

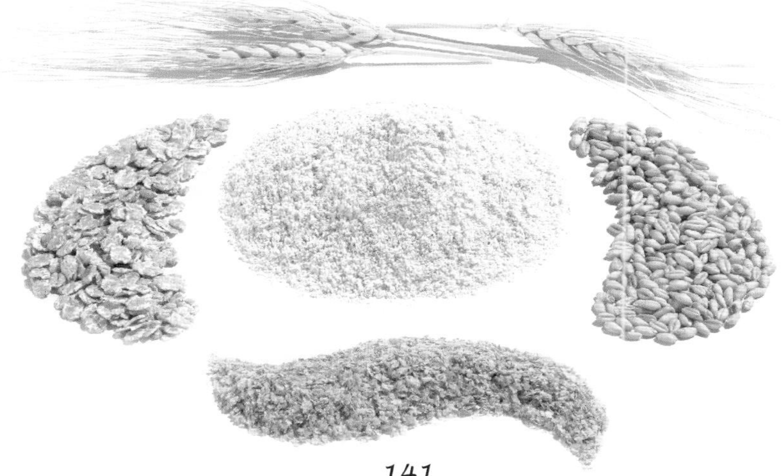

Muffins aux amandes

Légers et savoureux, ces muffins au goût d'amande ne vous laisseront pas sur votre appétit.

Ingrédients (pour douze muffins)

2 c. à soupe de graines de pavot (facultatif)
1 ¼ tasse (310 ml) de farine
(1 part de farine ordinaire tout usage,
1 part de farine de blé entier)
2 c. à thé de poudre à pâte
¼ c. à café de sel
½ tasse (125 ml) de sucre
2 œufs
1 tasse (250 ml) de lait
½ tasse (125 ml) d'huile de pépins de raisin (ou d'une huile légère, comme de l'huile de tournesol)
½ c. à thé d'essence d'amande
¼ tasse (60 ml) d'amandes grillées, moulues
Le zeste de 1 orange

Préparation

- Allumer le four à 375 °F (190 °C).
- Beurrer ou huiler 12 moules à muffins.
- Dans un bol, déposer les graines de pavot. Tamiser la farine avec la poudre à pâte et le sel. Ajouter le sucre. Bien mélanger le tout et faire un puits.
- Dans un autre bol, battre les œufs et le lait. Ajouter l'huile petit à petit, puis l'essence d'amande, les amandes moulues, le zeste, et mélanger.
- Verser cette préparation liquide dans le mélange d'ingrédients secs.
- Ne pas trop mélanger, la pâte doit rester grumeleuse.
- Remplir les moules aux trois quarts de leur capacité.
- Enfourner et cuire entre 20 et 25 minutes (un cure-dents enfoncé dans la pâte devrait en ressortir sec et propre).
- Laisser tiédir avant de démouler.

Müesli maison

Voici un autre mélange de céréales maison qui, parce qu'il est très riche en fibres, constitue une excellente protection contre les maladies cardiovasculaires.

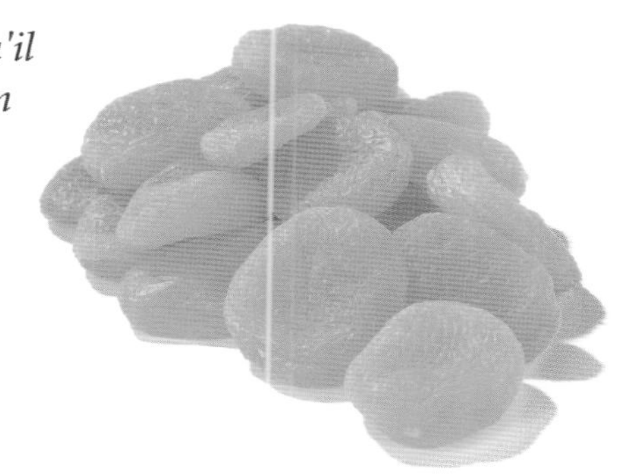

Ingrédients (pour six à huit)

3 tasses (750 ml) de flocons d'avoine (à cuisson régulière)
½ tasse (125 ml) d'abricots secs, hachés
½ tasse (125 ml) de dattes ou de pommes séchées
½ tasse (125 ml) de son d'avoine
½ tasse (125 ml) de graines de tournesol
½ tasse (125 ml) de raisins secs
¼ tasse (60 ml) de son de blé
¼ tasse (60 ml) de germe de blé, grillé

Préparation

- Dans un bol, mélanger tous les ingrédients du müesli. Verser dans un récipient hermétique et réfrigérer. Le müesli se conservera plusieurs semaines au froid.

Yogourt croustillant aux nectarines

Les yogourts aux fruits vendus dans le commerce sont souvent très sucrés. Essayez cette version garnie de miel et de céréales maison, les enfants en raffolent.

Ingrédients (pour quatre)

¾ tasse (180 ml) de yogourt nature
2 c. à soupe de miel
¼ tasse (60 ml) de mélange de céréales maison (voir recette p. 139)
4 nectarines bien mûres, pelées et coupées en morceaux
Une vingtaines de fraises fraîches, tranchées

Préparation

- Dans un petit bol, mêler le yogourt et le miel, et réserver.
- Dans un mélangeur, mixer les nectarines, puis ajouter la moitié du yogourt et mixer de nouveau.
- Verser ce yogourt dans quatre jolies coupes.
- Garnir chacune des coupes de 1 c. à soupe de flocons de müesli.
- Répartir le reste du yogourt nature et décorer de tranches de fraises.

Les entrées

Des entrées apéritives

La règle que nous avons choisi d'appliquer en matière d'entrées a beaucoup à voir avec la légèreté. Les entrées devraient ouvrir l'appétit et préparer la suite du repas sans donner l'impression de remplir l'estomac ou de l'alourdir. Les entrées devraient avoir pour effet de titiller les papilles tout en invitant le convive à poursuivre le repas. En ce sens, les meilleures associations marient l'acidité des fruits à la plénitude énergétique des légumes, elles composent des combinaisons aux saveurs surprenantes, mais délectables. Les herbes aromatiques et les zestes d'orange et de citron jouent un rôle de premier plan pour développer les saveurs et parfumer ces plats. C'est la raison pour laquelle vous trouverez beaucoup de salades agrémentées de ces parfums variés dans les choix que nous vous proposons.

Recettes d'entrées

(suite au verso)

(suite des recettes d'entrées)

Ananas guacamole

Cette attrayante et goûteuse association de fruits vitaminés servie avant un repas de viande rouge contribuera à éliminer le mauvais cholestérol.

Ingrédients (pour quatre)

8 tranches d'ananas frais, coupées en triangles
1 mangue, détaillée en bouchées
1 avocat à point, détaillé en bouchées arrosées de jus de limette
3 c. à soupe d'huile d'olive
1 c. à soupe de jus de limette
Un soupçon de sauce harissa (voir p. 223) ou de Tabasco
Sel et poivre au goût
1 bouquet de feuilles de coriandre, ciselées

Préparation

- Dans un saladier, mettre le sel et le jus de limette, ajouter l'huile et la sauce harissa, et bien émulsionner le tout.
- Ajouter les feuilles de coriandre et mélanger.
- Incorporer les fruits, mélanger délicatement et servir sans attendre.

Artichauts à l'ail et au citron
(cuisson au micro-ondes)

Cette manière simple et savoureuse d'apprêter les artichauts, ces légumes bons pour le foie, permet en outre de profiter des propriétés antivirales de l'ail cru et du citron.

Ingrédients (pour quatre)

4 artichauts
Eau froide
¼ tasse (60 ml) d'huile d'olive
2 c. à soupe de jus de citron
2 gousses d'ail, hachées finement

* Durée de cuisson pour 1 artichaut : 5-7 min; 2 artichauts : 10-11 min; 3 et 4 artichauts : 12-15 min.

Préparation

- Parer les artichauts, couper les tiges, retirer les petites feuilles à la base, rincer à l'eau froide.
- Les déposer dans quatre ramequins juste assez grands pour les contenir, avec 2 c. à soupe d'eau froide.
- Recouvrir chacun d'un petit sac ou d'une pellicule plastique sans serrer ni refermer hermétiquement.
- Cuire de 12 à 15 min*.
- Pendant que les artichauts reposent, préparer la vinaigrette en mélangeant l'ail, le jus de citron et l'huile d'olive. Napper les artichauts de cette sauce.

Asperges à la sauce au cari et à l'orange

Cette délicate entrée chaude est particulièrement recommandée aux personnes souffrant d'une maladie du rein.

Ingrédients (pour quatre)

2 c. à soupe de beurre
1 petite échalote sèche, hachée finement
1 petite gousse d'ail, hachée finement
1 c. à soupe de farine
1 c. à thé de cari
⅓ tasse (75 ml) de jus d'orange et le zeste de l'orange
⅓ tasse (75 ml) de bouillon de poulet
⅓ tasse (75 ml) de crème 15 %
1 c. à soupe de feuilles de coriandre, ciselées
1 paquet d'asperges fraîches

Préparation

- Dans une petite casserole, faire fondre le beurre et y faire revenir l'échalote 1 ou 2 minutes. Ajouter l'ail et cuire 1 minute.
- Ajouter la farine et bien mélanger.
- Ajouter le cari, le jus d'orange, le zeste et le bouillon, et cuire quelques minutes pour que la sauce épaississe.
- Ajouter la crème, puis la coriandre, et laisser tiédir.
- Pendant ce temps, faire cuire les asperges à l'eau bouillante environ 4 minutes, de manière qu'elles restent fermes et croquantes.
- Napper les asperges de la sauce au cari.

Canapés de sardines

Ingrédients

1 boîte de sardines, égouttées
1 c. à soupe de mayonnaise au lait concentré (voir p. 224)
1 petite gousse d'ail, hachée finement
1 petite échalote sèche, hachée
Le zeste de ½ citron
2 c. à soupe de brindilles d'aneth, de ciboulette ou de persil

Préparation

- Dans un petit bol, écraser les sardines à la fourchette avec la mayonnaise, l'ail et l'échalote hachée.
- Ajouter le zeste de citron et les herbes, et mélanger de nouveau.
- Servir sur des biscottes ou des craquelins de seigle.

Cantaloup au chèvre et au porto

Cette entrée raffinée, digeste et vitaminée, offre un délicat mariage de saveurs tout en constituant une excellente association santé.

Ingrédients (pour quatre)

1 petit cantaloup
¼ tasse (60 ml) de porto
⅓ lb (150 g) d'un bon fromage de chèvre
Feuilles de salade, de basilic ou de menthe pour décorer

Préparation

- Couper le melon en deux moitiés et retirer les pépins.
- Détailler sa chair en bouchées à l'aide d'une cuiller et mettre dans un bol.
- Arroser de porto et laisser mariner une quinzaine de minutes.
- Couper le fromage en cubes, ajouter au melon et bien mélanger.
- Garnir de feuilles de salade le fond de quatre coupes à dessert ou ramequins.
- Ajouter la préparation de cantaloup et de fromage, et décorer de feuilles de basilic ou de menthe.

Carotte et panais aux petits goémons

Cette petite entrée délectable est une rafraîchissante invitation à intégrer les algues dans votre alimentation et à profiter des leurs propriétés thérapeutiques, antirhumatismales et antibactériennes.

Ingrédients (pour deux)

1 carotte moyenne, râpée
1 petit panais, râpé
1 c. à soupe de petits goémons, réhydratés
2 c. à soupe de persil frais, haché
1 c. à soupe de jus de citron
2 c. à soupe d'huile d'olive
1 c. à soupe de graines de sésame

Préparation

- Réhydrater les petits goémons en les faisant tremper 3 minutes dans l'eau tiède. Égoutter, assécher et hacher les algues.
- Dans un petit bol, mélanger tous les ingrédients et refroidir 1 heure avant de servir.

Variante

- Remplacer le panais ou la carotte par du céleri-rave râpé ou du chou finement émincé, le jus de citron par du vinaigre de cidre, le persil par de la coriandre, ajouter à cette salade des pois chiches ou des lentilles, et vous obtiendrez une autre entrée tonique et antivirale.

Champignons farcis

Cette entrée exquise réunit ail et persil, deux aliments recommandés aux personnes souffrant d'anémie.

Ingrédients (pour quatre)

12 champignons moyens avec leurs queues
2 gousses d'ail, finement émincées
2 c. à soupe de beurre clarifié* ou de margarine non hydrogénée
2 c. à soupe de persil, émincé
12 pistaches, écalées et hachées
Des jeunes pousses d'épinards ou de laitue

Préparation

- Allumer le four à 425 °F (220 °C)
- Nettoyer les champignons après en avoir prélevé les queues.
- Émincer celles-ci, les mélanger avec l'ail, le beurre clarifié, le persil et les pistaches.
- Farcir chaque champignon de ce mélange et déposer dans des ramequins allant au four.
- Placer les ramequins dans un four chaud et cuire jusqu'à ce que le beurre bouillonne à la surface des champignons.
- Disposer sur des feuilles de salade et déguster avec des tranches de baguette croustillante.

* Pour faire un beurre clarifié express, faire fondre le beurre, laisser tiédir et retirer le dépôt qui se forme à la surface.

Épinards et tomates gratinés

Ce mets alléchant se prépare en un tournemain et constitue une excellente protection contre les infections virales.

Ingrédients (pour quatre)

1 paquet de feuilles d'épinards, soigneusement triées et lavées
1 c. à soupe de beurre clarifié*
¼ c. à café de muscade
2 gousses d'ail, finement émincées
2 tomates fraîches, épépinées et concassées
3 c. à soupe de chapelure de pacanes
Sel et poivre
1 œuf battu avec 4 c. à soupe de fromage râpé

Préparation

- Allumer le four à 375 °F (190 °C).
- Faire fondre le beurre dans une grande poêle, y déposer les épinards et la muscade, et couvrir.
- Baisser immédiatement le feu et remuer les épinards de façon à bien les enrober de beurre et de muscade. Lorsque les épinards sont ramollis, les essorer et les déposer dans un plat allant au four.
- Saler et poivrer.
- Ajouter l'ail finement haché et les tomates, saler et poivrer, et bien mélanger le tout.
- Saupoudrer de la chapelure, puis de l'œuf battu avec le fromage.
- Enfourner et cuire une dizaine de minutes.

* Pour faire un beurre clarifié express, faire fondre le beurre, laisser tiédir et retirer le dépôt qui se forme à la surface.

Filet de saumon cru aux herbes salées

Cette entrée délicate et raffinée, un mets de réception facile à réaliser, peut être préparée la veille. Elle renferme une bonne dose d'oméga-3, des acides essentiels favorisant le fonctionnement du système cardiovasculaire, du cerveau et du système hormonal.

Ingrédients (pour quatre)

1 filet de saumon de ¾ lb (env. 400 g), très frais
Le zeste et le jus de 1 citron
1 c. à soupe d'herbes salées
1 c. à thé de graines de fenouil, moulues
2 c. à soupe de feuilles d'aneth, ciselées
1 c. à café d'huile d'olive

Préparation

- Laver soigneusement le filet de saumon et l'assécher.
- Mélanger le zeste et le jus de citron, les herbes salées et le fenouil moulu, les feuilles d'aneth et l'huile d'olive, et réserver.
- À l'aide d'un bon couteau, tailler le saumon en fines tranches.
- Dans un plat, large et peu profond, disposer ces tranches en les arrosant du mélange d'herbes entre chaque couche.
- Recouvrir le plat d'une pellicule plastique et réfrigérer environ 6 heures.
- Faire des rosettes avec les tranches et servir bien frais sur des craquelins de seigle.

Variante

- On peut hacher le saumon au couteau au lieu de le découper en tranches, puis le mélanger soigneusement au mélange d'herbes et de jus de citron. On dépose ensuite cette préparation dans des petits ramequins, on recouvre d'une pellicule plastique et on réfrigère 8 heures ou plus avant de servir. Il est ensuite facile de démouler le saumon et de servir les portions moulées sur un lit de cresson ou d'épinards.

Pâté à tartiner aux champignons et aux noix

Ce délicieux pâté à tartiner parfumé au citron et à la coriandre fait une entrée savoureuse qui contribue à abaisser le taux de mauvais cholestérol dans le sang.

Ingrédients (pour quatre)

4 c. à soupe de margarine non hydrogénée
1 échalote sèche, hachée
8 oz (227 g) de champignons variés, hachés
1 c. à soupe de tahini*
1 petite gousse d'ail, hachée finement
1 c. à thé de jus de citron et le zeste de ½ citron
Quelques gouttes de sauce harissa (voir p. 223)
¼ tasse (60 ml) de noix, de pacanes ou de pistaches, hachées
Un bouquet de feuilles de coriandre, hachées
Sel et poivre au goût

Préparation

- Dans un poêlon, faire revenir l'échalote sans la colorer dans 1 c. à soupe de margarine non hydrogénée.
- Ajouter les champignons et l'ail, faire cuire 10 minutes jusqu'à ce que le liquide de cuisson soit évaporé.
- Laisser tiédir.
- Ajouter le jus de citron et le zeste, la sauce harissa, le reste de la margarine, le tahini, les noix et les feuilles de coriandre.
- Assaisonner au goût, mixer au mélangeur ou au robot, mais pas trop, de façon à laisser des morceaux dans la préparation.
- Verser dans un ramequin, couvrir et mettre au froid 12 heures au moins.
- Servir sur du pain de seigle ou des biscottes.

* Le tahini est une purée de graines de sésame que l'on trouve dans les épiceries fines.

Pâté à tartiner aux graines de lin

Cette entrée, vite préparée (si on excepte le temps de trempage), est riche en oméga-3. Servie sur des craquelins de riz ou de seigle et accompagnée de crudités, c'est une fine solution de rechange aux charcuteries et aux pâtés de campagne.

Ingrédients

½ tasse (125 ml) de graines de citrouille
½ tasse (125 ml) de graines de tournesol non salées
4 c. à soupe de graines de lin
1 c. à soupe d'huile d'olive
½ c. à café de graines de fenouil, broyées
1 c. à café de gingembre, râpé
¼ c. à café de moutarde en poudre
4 c. à soupe de fromage à la crème
Sel et poivre au goût

Préparation

- Faire tremper les graines de citrouille et de tournesol au moins 3 heures.
- Moudre les graines de lin et réserver.
- Déposer tous les ingrédients, y compris les graines égouttées, dans un robot culinaire et mixer pour obtenir une consistance homogène.
- Goûter, rectifier l'assaisonnement et ajouter un peu d'huile au besoin.

Petites terrines de lentilles et de champignons

Ces savoureux petits pâtés parfumés constituent une entrée froide délectable servie sur des craquelins de seigle ou de sésame.

Ingrédients (pour quatre terrines)

2 c. à soupe de beurre ou de margarine non hydrogénée
1 échalote sèche, hachée
8 oz (227 g) de champignons, émincés
1 petite gousse d'ail, hachée
2 c. à soupe de porto
1 ⅓ tasse (325 ml) de lentilles cuites, rincées et égouttées
1 œuf battu
4 c. à soupe de chapelure (craquelins et noix)
1 c. à café de basilic séché
½ c. à café de graines de fenouil, moulues
½ c. à café de graines de coriandre, moulues
2 c. à soupe de persil haché
Sel et poivre au goût

Préparation

- Allumer le four à 350 °F (180 °C).
- Dans un poêlon, faire fondre le beurre et y faire revenir l'échalote, les champignons et l'ail 10 minutes.
- Laisser tiédir et mettre avec les lentilles dans le bol d'un robot. Actionner l'appareil 1 ou 2 minutes, de manière à faire un mélange onctueux, mais imparfaitement lisse. Réserver.
- Dans un saladier, incorporer l'œuf battu, la chapelure et la préparation de champignons et de lentilles. Ajouter les épices, les assaisonnements et le persil, et verser dans quatre ramequins.
- Cuire au four durant 35 minutes.

Ratatouille niçoise

Ce plat parfumé est un vrai régal d'automne qui renferme plusieurs nutriments anticancer.

Ingrédients (pour quatre)

3 c. à soupe d'huile d'olive
2 poivrons rouges, coupés en cubes
2 oignons, hachés
4 grosses tomates mûres, épépinées et concassées ou, à défaut, 2 tasses (500 ml) de tomates concassées en conserve
1 aubergine, tranchée et détaillée en cubes
2 courgettes, tranchées et détaillées en cubes
4 gousses d'ail, finement émincées
1 c. à thé d'herbes de Provence
¼ tasse (60 ml) de feuilles de basilic fraîches, hachées
Sel et poivre au goût

Préparation

- Dans une grande casserole, faire revenir les oignons et les poivrons dans l'huile à feu moyen.
- Ajouter les tomates, les cubes d'aubergine et de courgettes, l'ail, les herbes de Provence et les assaisonnements.
- Porter à ébullition, baisser le feu et laisser mijoter 30 minutes.
- Ajouter le basilic et laisser reposer 15 minutes avant de servir.

Ce plat est délicieux lorsqu'on permet aux saveurs de se développer. Il peut donc être avantageusement réchauffé et se congèle plusieurs mois.

Salade de betteraves et de carottes

Le mélange de saveurs du gingembre et de la cannelle combinées au goût délicat de la betterave crue ravira vos invités. Servie en entrée, cette salade ouvre l'appétit, assure une bonne digestion et constitue une excellente protection contre l'anémie.

Ingrédients (pour quatre)

2 betteraves moyennes, pelées et râpées
2 grosses carottes, brossées et râpées
½ tasse (125 ml) de graines de tournesol non salées
1 c. à café de gingembre, râpé
½ c. à café de cannelle en poudre
3 c. à soupe d'huile d'olive
1 c. à soupe de vinaigre de cidre
Sel et poivre au goût

Préparation

- Bien mélanger les légumes râpés, les graines de tournesol, puis les ingrédients de la vinaigrette.
- Servir.
  Cette salade est aussi bonne le lendemain.

Salade de cresson aux pommes, aux noisettes et au chèvre

Cette entrée tonifiante procure des nutriments qui protègent contre le cancer.

Ingrédients (pour quatre)

1 botte de cresson, les feuilles lavées et équeutées
2 pommes empire, coupées en cubes et arrosées de jus de citron
1 petit bol (environ ⅓ tasse – 75 ml) de noisettes grillées, grossièrement broyées
3 oz (100 g) de fromage de chèvre, en morceaux

Vinaigrette

3 c. à s. d'huile d'olive extra vierge
2. c. à s. de jus de citron
1 c. à café de moutarde de Dijon

Préparation

- Faire griller les noisettes à sec cinq minutes au four (350 °F- 180 °C).
- Préparer la vinaigrette en mélangeant au fouet tous les ingrédients.
- Disposer sur un lit de cresson les cubes de pommes, le fromage et les noisettes.
- Arroser de la vinaigrette, mélanger délicatement et servir.

Salade de fraises, de cantaloup et d'avocat

Servie avant un plat de grillades, cette salade colorée, qui marie les vertus antioxydantes de la fraise à la douceur de l'avocat, stimule l'appétit et facilite la digestion.

Ingrédients (pour quatre)

¾ tasse (180 ml) de petites fraises (si elles sont grosses, les couper en deux ou en quatre)
1 cantaloup de taille moyenne, détaillé en bouchées à la cuiller
1 avocat mûr, détaillé en bouchées, arrosé de jus de citron
2 c. à soupe d'huile de pépins de raisin
2 c. à soupe d'huile de noix ou de noisettes
1 c. à soupe de vinaigre de cidre
1 bouquet de feuilles de coriandre fraîches, ciselées
1 tasse (250 ml) de feuilles de laitue mélangées (roquette, épinards, mesclun, cresson ou autres), lavées et essorées
Sel et poivre au goût

Préparation

- Dans des coupes à dessert, disposer quelques feuilles de salade et les fruits.
- Arroser de la vinaigrette préparée avec les huiles, le vinaigre, les herbes et les assaisonnements.

Salade de papaye, de crevettes et de kiwis

Inspirée d'une recette thaïe, cette entrée savoureuse se prépare rapidement. Elle a le mérite d'associer deux nutriments précieux, la vitamine C de la papaye et le fer de la crevette et de l'épinard.

Ingrédients (pour quatre)

1 papaye mûre, égrenée* et détaillée en bouchées
40 crevettes cuites, décortiquées
3 c. à soupe de yogourt
3 c. à soupe de mayonnaise légère ou au tofu (voir recette p. 224)
¼ c. à café de pâte de cari rouge
2 bouquets de feuilles de coriandre fraîche, ciselées
Sel et poivre au goût
2 kiwis, pelés et tranchés
Feuilles d'épinards et olives noires pour garnir

* On peut, si on le désire, laver les graines de papaye, les assécher et les moudre dans un moulin à épices jusqu'à ce qu'elles aient l'apparence de grains de poivre, et en saupoudrer quelques-unes sur cette entrée rafraîchissante.

Préparation

- Dans un grand saladier, préparer la sauce en mélangeant le yogourt, la mayonnaise, la pâte de cari et les feuilles de coriandre.
- Disposer les crevettes et les bouchées de papaye dans le plat, et mélanger délicatement pour bien enrober les crevettes ainsi que les bouchées de papaye.
- Disposer des feuilles d'épinards et les tranches de kiwi dans quatre coupes à dessert et verser dans chacune un peu de la préparation.

Variante

Version saumonée aux oméga-3

Remplacer les crevettes par un filet de saumon frais poché au micro-ondes (voir p. 198).

Salade de tomates au basilic frais

Cette entrée toute simple, rafraîchissante et savoureuse, réunit avec bonheur des aliments qui protègent contre le cancer.

Ingrédients (pour quatre)

4 tomates bien mûres, tranchées finement
3 petites gousses d'ail, hachées finement
1 c. à café de jus de citron
2 c. à soupe d' huile d'olive extra vierge de première pression à froid
2 c. à soupe de feuilles de basilic fraîches, hachées
Sel et poivre au goût

Préparation

- Bien mélanger les ingrédients de la vinaigrette – ail, jus de citron, huile d'olive et feuilles de basilic –, et en napper les tranches de tomate disposées en une seule couche sur une assiette.
- Assaisonner au goût et déguster sans attendre.

Terrine au sarrasin ou végé-pâté

Savoureuse solution de remplacement aux terrines de foie de volaille, ce pâté sans viande est une entrée légère mais nutritive que vous aimerez servir en réception. Dépourvue de gluten, elle convient aux personnes atteintes de la maladie cœliaque.

Ingrédients (pour huit)

1 tasse (250 ml) de graines de tournesol non salées, moulues
½ tasse (125 ml) de farine de sarrasin
½ tasse (125 ml) de levure alimentaire en flocons (dans des magasins d'aliments naturels)
1 oignon, finement haché
1 petite courgette, râpée
1 carotte, râpée
2 c. à soupe de jus de citron et le zeste de ½ citron
½ tasse (125 ml) de margarine non hydrogénée
1 ½ tasse (375 ml) d'eau bouillante
1 petite gousse d'ail, hachée finement
1 c. à café de basilic, moulu
Sel et poivre au goût

Préparation

- Allumer le four à 350 °F (180 °C).
- Mélanger tous les ingrédients et verser dans un moule à pain. Cuire 1 heure ou jusqu'à ce que la surface soit légèrement brunie. Servir froid avec du pain ou des biscottes.

Tomates gratinées aux noix

Servie avant un plat comprenant des féculents, voici une entrée légère qui facilite la digestion et protège contre le cancer. Ces succulentes tomates accompagnent à merveille un repas de viande.

Ingrédients (pour quatre)

2 tranches de pain grillé, coupées en petits dés
2 c. à soupe de beurre fondu
2 c. à soupe de feuilles de basilic, émincées, ou de persil frais
1 gousse d'ail, hachée finement
3 c. à soupe de noix, hachées
2 tomates, coupées en moitiés et grossièrement évidées

Préparation

- Allumer le four à 375 °F (190 °F).
- Dans un bol, mélanger les dés de pain, le beurre fondu, les herbes, l'ail et les noix.
- Garnir les moitiés de tomates de cette farce et passer au four 10 minutes.

Trempette aux pois chiches

Succulente purée inspirée d'une recette du Moyen-Orient, cette trempette fournit une bonne dose de fibres et protège des maladies cardiovasculaires.

Ingrédients (pour huit)

19 oz (540 ml) de pois chiches, rincés et égouttés
1 gousse d'ail, finement émincée
1 c. à soupe de jus de citron et le zeste de ½ citron
1 c. à soupe d'huile d'olive
Quelques gouttes de sauce aux piments ou harissa (voir recette p. 223), au goût
2 c. à soupe de tahini*
½ c. à café de cumin, moulu
2 c. à soupe de coriandre fraîche, hachée

* Purée de graines de sésame vendue dans les épiceries fines.

Préparation

- Dans un robot culinaire, réduire les pois chiches en purée.
- Ajouter l'ail, le jus et le zeste de citron, l'huile, la sauce aux piments, le tahini et le cumin, et remettre le robot en marche.
- Garnir de la coriandre hachée et servir sur du pain ou des craquelins.

Trempette d'avocat au citron et aux anchois

Faite d'un délicat mariage de saveurs, cette entrée riche en oméga-3 fait merveille avant un repas de poisson.

Ingrédients (pour quatre)

1 avocat bien mûr
4 petits filets d'anchois, très finement émincés
1 c. à café (5 ml) de jus de citron et le zeste de ½ citron

Préparation

- Piler l'avocat en vous servant d'une fourchette.
- Ajouter les petits morceaux d'anchois, le zeste et le jus de citron.
- Mélanger et servir avec des légumes crus ou sur des craquelins.

Les potages

Le secret d'un bon potage

Les potages et les soupes sont, avec les salades, les plats qui procurent le plus de bénéfices pour la santé. Pourquoi ? Parce qu'ils permettent d'intégrer à nos menus une grande variété de légumes, qui sont, comme nous l'avons vu dans la première partie de cet ouvrage, des médicaments naturels presque miraculeux et des protecteurs de première importance.

Et comme s'ils avaient été inventés pour nous faciliter la vie, les soupes et les potages sont des mets qu'il est pratiquement impossible de ne pas réussir. La seule condition à respecter si l'on veut obtenir un potage vraiment savoureux est de l'enrichir d'un bon bouillon maison. Le bouillon était jadis un des remèdes naturels les plus recommandés par nos mères et nos grand-mères pour prévenir ou soigner un rhume, retaper un estomac malmené par quelques excès ou renforcer un organisme en convalescence. Encore aujourd'hui, il procure des bénéfices certains.

Préparer le bouillon que nous vous proposons requiert peu de temps et vaut bien les quelques efforts de planification auxquels vous devrez vous soumettre après avoir savouré un poulet rôti. Ensuite, il vous suffira d'y plonger les aliments que vous désirez, ou encore ceux que vous aurez sous la main, pour mijoter des soupes qui, selon leur consistance, pourront se servir en début de repas ou constituer un réconfortant plat de résistance.

Recettes de potages

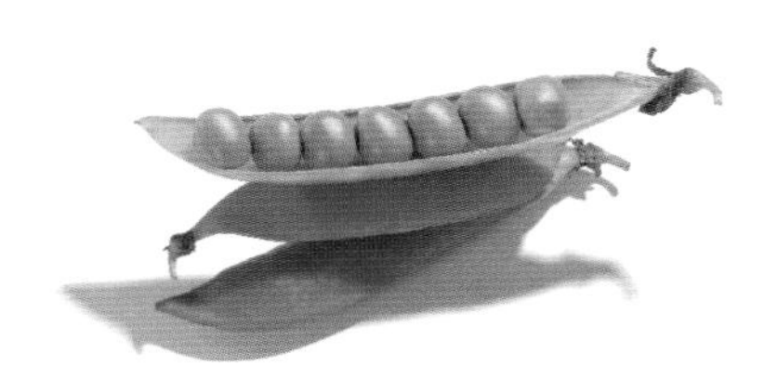

Bouillon de poulet maison

Ce bouillon rempli de saveurs ne coûte rien puisqu'il est préparé avec la carcasse de la volaille qu'on a pris l'habitude de jeter après en avoir extirpé les bons morceaux. Or, les os et les restes de volaille constituent une excellente base pour mitonner des sauces et des soupes express.

Ingrédients

Les restes d'un poulet rôti (ou de toute autre volaille), c'est-à-dire la carcasse, les jus de cuisson ou la sauce, la peau et les os, y compris ceux du cou, ainsi que le cœur et les rognons mais pas le foie
1 oignon entier
1 carotte entière, brossée
1 branche de céleri avec ses feuilles
1 gousse d'ail, pelée
1 morceau de gingembre, pelé
1 bouquet de persil
1 feuille de laurier
1 c. à café d'herbes variées (thym, basilic, origan, cerfeuil)
Suffisamment d'eau pour recouvrir les restes du poulet
Sel et poivre au goût

Préparation

- Dans une grande casserole, déposer les restes du poulet et la sauce, s'il y en a.
- Ajouter tous les autres ingrédients et suffisamment d'eau pour recouvrir la carcasse (environ 12 tasses ou 3 litres).
- Porter à ébullition, assaisonner au goût, réduire le feu et laisser mijoter à couvert durant 2 heures.
- Laisser refroidir ce bouillon plusieurs heures (toute la nuit, si vous l'avez fait le soir), puis filtrer. Il se conserve plusieurs jours au réfrigérateur, recouvert de son gras. Pour l'utiliser, il suffit de le dégraisser.
  Une fois dégraissé et congelé, il se conservera jusqu'à 6 mois.

Variante

Bouillon de volaille

Naturellement, on peut préparer des bouillons tout aussi savoureux avec les restes d'autres volailles, poule, dinde, canard, faisan, pintade, oie, cailles, etc.

Suggestion

Soupe express

Ce bouillon est un extraordinaire dépanneur. Il suffit d'y ajouter quelques cuillerées de couscous, des champignons tranchés, du persil, de fines lamelles de carottes, un peu de salsa, et vous obtenez une soupe délicieuse en moins de cinq minutes.

Bouillon de légumes maison

Ce bouillon renferme de précieux nutriments qui enrichiront vos potages et vos ragoûts. Pour lui donner une touche exotique, remplacez le mélange classique d'herbes variées (thym, basilic, origan, cerfeuil) par un mélange de cumin, fenouil, cari, piment, anis étoilé, coriandre.

Ingrédients

2 oignons (ou 2 poireaux)
2 carottes
1 panais
4 branches de céleri et leurs feuilles
1 gousse d'ail
12 tasses (3 l) d'eau
2 feuilles de laurier
1 c. à soupe d'herbes aromatiques de votre choix
Sel et poivre au goût

Préparation

- Dans une grande casserole, déposer tous les ingrédients et recouvrir avec l'eau.
- Porter à ébullition, baisser le feu et laisser mijoter à couvert durant 1 heure.
- Filtrer et jeter les légumes. Conserver au réfrigérateur.

Crème d'ail aux légumes

Fortifiant et réconfortant, ce potage éloigne le rhume et les états grippaux.

Ingrédients

6 tasses (1,5 l) de bouillon de volaille
(voir recette p. 165)
1 tête d'ail, les gousses épluchées et émincées
4 carottes moyennes, lavées et coupées en morceaux
1 morceau de rutabaga, coupé en cubes
4 courgettes, pelées et coupées en morceaux
¼ tasse (60 ml) de persil frais, haché
Sel et poivre au goût

Préparation

- Dans un chaudron d'une capacité de 2 litres, déposer tous les ingrédients sauf le persil.
- Porter à ébullition et laisser mijoter 20 minutes ou jusqu'à ce que les légumes soient cuits.
- Laisser tiédir et passer au mélangeur.
- Réchauffer, assaisonner au goût, ajouter le persil et servir.

Potage à la courge musquée

Parfumé au cari, cet onctueux potage d'hiver, parce qu'il est très riche en bêta-carotène, protège efficacement contre le rhume et les infections.

Ingrédients (pour quatre)

1 oignon, haché
2 échalotes sèches, émincées
3 c. à soupe d'huile d'olive
1 gousse d'ail, finement émincée
1 c. à café de poudre de cari
1 petite courge musquée ou Butternut*, pelée, épépinée et coupée en cubes
2 carottes moyennes, coupées en morceaux
2 ½ tasses (625 ml) de bouillon de légumes ou de bouillon de poulet (voir recettes pp. 165 et 166)
½ tasse (125 ml) de lait concentré non sucré, de boisson au soja au naturel ou de lait de coco (facultatif)
Sel et poivre au goût

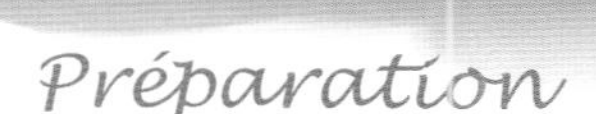

Préparation

- Dans une grande casserole, faire chauffer l'huile et y faire revenir l'oignon et les échalotes sans les colorer.
- Ajouter l'ail, la poudre de cari, la courge, les carottes et le bouillon.
- Porter à ébullition, baisser le feu et laisser mijoter à feu doux 25 minutes.
- Laisser tiédir et passer au mélangeur.
- Assaisonner au goût et, si le potage est très épais, allonger avec la boisson au soja ou le lait de coco, si désiré.

* Les Anglais l'appellent «Butternut» en raison de son bon goût de beurre.

Potage au brocoli

L'ingrédient de base de ce délicieux potage contient un puissant antioxydant qui protège contre les maladies cardiovasculaires et prévient diverses formes de cancer.

Ingrédients (pour quatre ou six)

2 c. à soupe d'huile d'olive
1 oignon, haché ou 1 poireau, tranché
2 pommes de terre moyennes, coupées en morceaux
3 tiges de brocoli, séparées en bouquets
2 gousses d'ail, finement émincées
4 tasses (1 l) de bouillon de poulet (p. 165)
Sel et poivre au goût

Préparation

- Faire revenir l'oignon ou le poireau dans l'huile quelques minutes sans le colorer.
- Ajouter tous les autres ingrédients et porter à ébullition.
- Baisser le feu et laisser mijoter à feu doux 20 minutes.
- Laisser tiédir et passer au mélangeur.

Potage au chou-fleur

La forte teneur en fibres du chou-fleur contribuera à neutraliser les gras lorsque vous servirez ce potage avant un repas de viande.

Ingrédients (pour quatre ou six)

2 c. à soupe d'huile d'olive
1 oignon, émincé
1 chou-fleur, lavé et découpé en bouquets
3 pommes de terre moyennes, pelées et coupées en 4 morceaux
2 courgettes, pelées et coupées en morceaux
1 gousse d'ail, finement émincée
4 tasses (1 l) de bouillon de poulet (voir recette p. 165)
2 c. à soupe d'herbes fraîches (basilic, persil ou coriandre)
Sel et poivre au goût

Préparation

- Dans une casserole, faire revenir l'oignon dans l'huile sans le colorer.
- Ajouter les bouquets de chou-fleur, les morceaux de pommes de terre et les courgettes, et laisser cuire doucement quelques minutes.
- Ajouter l'ail et le bouillon, et porter à ébullition.
- Baisser le feu et laisser mijoter 20 minutes.
- Laisser tiédir et passer au mélangeur.
- Ajouter les herbes fraîches et mixer de nouveau.
- Assaisonner au goût et servir bien chaud.

Potage au fenouil

Ce potage au parfum anisé convient particulièrement aux personnes qui souffrent de flatulence.

Ingrédients (pour quatre à six)

2 c. à soupe d'huile d'olive
1 échalote sèche, hachée
1 bulbe de fenouil, émincé en lanières
2 grosses courgettes (ou 3 petites) non pelées, coupées en morceaux
1 gousse d'ail, finement émincée
3 tasses (750 ml) de bouillon de poulet (voir recette p. 165)
Sel et poivre au goût

Préparation

- Dans une casserole, faire revenir l'échalote dans l'huile sans la colorer.
- Ajouter le fenouil et les courgettes, et cuire quelques minutes à feu doux.
- Ajouter l'ail, verser le bouillon et porter à ébullition.
- Baisser le feu et laisser mijoter 20 minutes.
- Laisser tiédir et passer au mélangeur.
- Remettre la préparation sur le feu, assaisonner et servir.

Potage au panais et aux courgettes

Le panais confère un goût délectable à ce potage et le rend particulièrement savoureux. Peu calorique, ce légume au goût unique assure une bonne protection contre les maladies cardiovasculaires.

Ingrédients (pour six à huit)

2 c. à soupe d'huile d'olive
2 oignons, hachés
3 panais, débarrassés de leurs tiges, lavés, brossés et coupés en cubes
2 courgettes non pelées, coupées en morceaux
1 pomme de terre, lavée et coupée en morceaux
1 gousse d'ail, hachée finement
6 tasses (1,5 litre) de bouillon de poulet
(voir recette p. 165)
Sel et poivre au goût

Préparation

- Dans une casserole, faire revenir les oignons dans l'huile sans les colorer.
- Ajouter tous les autres ingrédients et porter à ébullition.
- Baisser le feu et laisser mijoter 20 minutes.
- Laisser tiédir et passer au mélangeur.
- Assaisonner au goût, réchauffer et servir bien chaud.

Potage aux champignons

Le goût subtil des shiitakes, ces champignons aux qualités antivirales réputées, vous fera oublier la couleur brunâtre du potage. Pour améliorer son apparence, ajoutez-y des feuilles d'épinards hachées que vous laisserez cuire quelques minutes avant de servir.

Ingrédients (pour quatre)

2 échalotes sèches, hachées
2 c. à soupe de margarine non hydrogénée
1 paquet de 3,5 oz (100 g) de champignons shiitakes frais*, tranchés
1 paquet de 8 oz (227 g) de champignons de Paris, tranchés
3 courgettes, pelées et coupées en morceaux
1 gousse d'ail, finement émincée
3 tasses (750 ml) de bouillon de poulet
(voir recette p. 165)
Quelques feuilles d'épinards
Sel et poivre au goût

Préparation

- Dans une casserole, faire revenir les échalotes dans la margarine sans les laisser colorer.
- Ajouter les champignons shiitakes, les champignons de Paris et les courgettes, et faire revenir quelques minutes en remuant
- Ajouter l'ail et le bouillon, et porter à ébullition.
- Baisser le feu et laisser mijoter à couvert 20 minutes.
- Laisser tiédir et passer au mélangeur.
- Assaisonner et servir bien chaud.

* Si on utilise des champignons séchés, les réhydrater dans un peu d'eau tiède, les égoutter et couper les queues avant de les ajouter au mélange.

Potage aux courgettes

Peu calorique et d'un goût étonnamment délicat, ce potage d'une simplicité enfantine en surprendra plus d'un.

Ingrédients
(pour quatre ou six)

2 c. à soupe d'huile d'olive,
de margarine non hydrogénée ou de beurre clarifié
1 échalote sèche, hachée
5 ou 6 courgettes moyennes, non pelées,
coupées en morceaux
2 gousses d'ail, finement émincées
4 tasses (1 l) de bouillon de poulet (voir p. 165)
Sel et poivre au goût

Préparation

- Dans une casserole, faire revenir l'échalote dans la matière grasse sans la colorer.
- Ajouter les courgettes et laisser cuire quelques minutes.
- Ajouter l'ail, le bouillon et porter à ébullition.
- Baisser le feu et laisser mijoter 20 minutes.
- Laisser tiédir et passer au mélangeur.
- Assaisonner, remettre sur le feu et servir bien chaud.

Potage aux épinards et aux pacanes

Ce riche potage d'hiver est un repas en soi. Il est composé de deux aliments rarement réunis dans un bouillon, mais qui se marient à merveille pour former un plat tonifiant et antiviral.

Ingrédients (pour six)

5 tasses (1,25 l) de bouillon de poulet
(voir recette p. 165)
2 oz (60 g) de nouilles fines
1 tasse (250 ml) de bouillon de poulet
(voir recette p. 165)
2 tasses (500 ml) d'épinards frais, lavés et hachés
½ tasse (125 ml) de feuilles de basilic fraîches, hachées
½ tasse (125 ml) de persil frais, émincé
¼ tasse (60 ml) de pacanes, grossièrement hachées
1 gousse d'ail, finement émincée
2 c. à soupe d'huile d'olive
Sel et poivre au goût

Préparation

- Dans une casserole, porter à ébullition les 5 tasses (1,25 l) de bouillon et y faire cuire les nouilles jusqu'à ce qu'elles soient *al dente*.
- Pendant ce temps, dans un mélangeur, réduire en purée les épinards, la tasse de bouillon et le persil. Ajouter le basilic, les pacanes et l'ail, et actionner de nouveau l'appareil environ 1 minute. Incorporer l'huile.
- Ajouter ce mélange au premier bouillon et réchauffer.
- Assaisonner et servir bien chaud.

Potage de céleri au cari

Savoureux et bien relevé, ce potage a le mérite de réunir toutes les parties du céleri et de faciliter la digestion.

Ingrédients (pour quatre)

2 c. à soupe d'huile d'olive
1 oignon, haché
1 échalote sèche, hachée
6 branches de céleri, coupées en dés
2 pommes de terre moyennes, pelées et coupées en dés
1 c. à thé de cari en poudre ou plus, au goût
3 tasses (750 ml) de bouillon de poulet ou de légumes (voir recettes pp. 165 et 166)
2 c. à soupe d'herbes fraîches pour parfumer (basilic, estragon ou coriandre)
Graines et feuilles de céleri
Sel et poivre au goût

Préparation

- Dans une casserole, faire revenir l'oignon, l'échalote et le céleri dans l'huile quelques minutes sans les colorer.
- Ajouter les autres ingrédients sauf les herbes et porter à ébullition.
- Baisser le feu et laisser mijoter 20 minutes.
- Laisser tiédir et passer au mélangeur.
- Assaisonner au goût, ajouter les herbes fraîches et mixer de nouveau.
- Servir bien chaud après avoir décoré chaque assiette de graines et de feuilles de céleri.

Potage de céleri-rave et de patate douce

Ce potage anti-grippe au goût raffiné réunit deux légumes remplis de vitamines.

Ingrédients (pour quatre)

1 céleri-rave, pelé et coupé en dés
1 patate douce, pelée et coupée en dés
1 poireau (ou à défaut, 1 oignon), émincé
1 courgette, pelée et coupée en morceaux
1 c. à soupe d'huile
3 tasses (750 ml) d'eau, de bouillon de poulet ou de légumes (voir recettes pp. 165 et 166)
1 bouquet de feuilles de coriandre, émincées

Préparation

- Faire revenir les légumes dans l'huile 1 minute.
- Ajouter l'eau ou le bouillon et porter à ébullition.
- Baisser le feu et laisser mijoter à couvert 20 minutes.
- Assaisonner au goût et laisser tiédir.
- Mixer au mélangeur et servir chaud, garni de feuilles de coriandre.

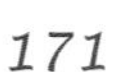

Soupe à l'oignon aux petits goémons

La soupe à l'oignon fait merveille les lendemains de festin et s'avère un savoureux remède contre les digestions difficiles tout en constituant une solide protection contre les virus.

Ingrédients (pour quatre)

4 gros oignons, pelés et tranchés en fines rondelles
2 échalotes sèches, hachées
2 c. à soupe de beurre clarifié
1 c. à soupe d'huile d'olive
3 tasses (750 ml) de bouillon de bœuf ou de poulet, non salé
1 c. à soupe de paillettes de petits goémons (dulse), réhydratées
2 gousses d'ail, finement hachées
2 feuilles de laurier
Poivre au goût

Préparation

- Dans une casserole, faire revenir oignons et échalotes dans le beurre et l'huile sans les colorer.
- Ajouter le bouillon, l'ail, les flocons d'algues et le laurier, et porter à ébullition.
- Baisser le feu et laisser mijoter 20 minutes.
- Poivrer au goût et servir avec du pain ou des biscottes.

Soupe aux feuilles de radis

Cette réconfortante soupe antivirale fournit une belle occasion de récupérer les feuilles de radis.

Ingrédients (pour six ou huit)

2 c. à soupe d'huile d'olive
2 poireaux, émincés
1 bouquet de feuilles fraîches de radis, lavées et hachées
4 pommes de terre, pelées et coupées en dés
5 tasses (1,25 l) d'eau ou de bouillon de légumes (voir recette p. 166)
Un soupçon de muscade
½ tasse (125 ml) de lait ou de boisson au soja
Sel et poivre au goût

Préparation

- Dans une casserole, faire revenir les poireaux dans l'huile sans les colorer.
- Incorporer les feuilles de radis et cuire, à couvert et à feu doux, quelques minutes.
- Ajouter les pommes de terre, l'eau ou le bouillon, les assaisonnements et la muscade, et porter à ébullition.
- Baisser le feu et laisser mijoter 20 minutes.
- Laisser tiédir et passer au mélangeur.
- Remettre dans la casserole, ajouter la boisson au soja, au goût, réchauffer et servir.

Soupe aux lentilles

Cette bonne soupe riche en fibres convient particulièrement aux personnes dont le taux de cholestérol est élevé.

Ingrédients (pour huit)

1 c. à soupe d'huile d'olive
2 gousses d'ail, émincées finement
2 oignons, hachés
1 branche de céleri, en dés
3 carottes, en dés
1 c. à thé de cari
6 tasses (1,5 l) de bouillon de légumes ou de bouillon de poulet (voir recettes pp. 165 et 166)
1 c. à soupe de pâte de tomate
1 tasse (250 ml) de lentilles rouges, rincées
1 à 2 tasses (250-500 ml) d'épinards lavés, hachés
Sel et poivre au goût

Préparation

- Dans une grande casserole, faire revenir les oignons et l'ail dans l'huile.
- Ajouter le céleri, les carottes, le cari, le bouillon de légumes ou de poulet, la pâte de tomate, et porter à ébullition.
- Baisser le feu et laisser mijoter 10 minutes.
- Ajouter les lentilles et cuire encore 10 minutes.
- Ajouter les épinards et laisser mijoter 5 minutes.

Soupe aux petits pois verts

Ce savoureux potage qui renferme des vitamines et des vertus protectrices contre les maladies cardiovasculaires est aussi bon l'été que l'hiver.

Ingrédients (pour six)

2 gros oignons, hachés
1 branche de céleri, coupée en dés
1 courgette moyenne, pelée et coupée en morceaux
1 gousse d'ail, émincée finement
4 tasses (1 l) de bouillon de légumes ou de poulet (voir recettes pp. 165 et 166)
2 tasses (500 ml) de petits pois surgelés
1 c. à thé de poudre de cari
1 c. à thé de curcuma
Sel et poivre au goût

Préparation

- Dans une grande casserole, faire revenir les oignons dans l'huile sans les colorer.
- Ajouter le céleri, la courgette, l'ail, les épices et la moitié du bouillon. Porter à ébullition et faire cuire à couvert à feu doux 20 minutes.
- Ajouter les pois et le reste du bouillon, et porter à ébullition.
- Baisser le feu et laisser mijoter 10 minutes.
- Laisser tiédir, assaisonner au goût et passer au mélangeur.
- Réchauffer et servir.

Soupe aux pois cassés à l'indienne

Délicieusement parfumée, cette soupe peu calorique, riche en fibres et en minéraux, contribue à combattre l'anémie.

Ingrédients (pour six ou huit)

1 blanc de poireau, émincé
1 carotte, coupée en dés
2 c. à soupe d'huile d'olive
½ c. à café de chacune des épices suivantes : cannelle, cumin, gingembre moulu, poivre noir, curcuma, fenugrec
Une pincée de clou de girofle
2 gousses d'ail, hachées finement
6 tasses d'eau (1,5 l) ou de bouillon de légumes (voir recette p. 166)
1 tasse (250 ml) de pois cassés, lavés et égouttés
1 douzaine de feuilles d'épinards, bien lavées
Sel et poivre au goût

Préparation

- Dans une casserole, faire revenir le poireau et la carotte dans l'huile sans les colorer.
- Ajouter les épices et laisser cuire 1 minute à feu doux.
- Ajouter l'eau ou le bouillon, l'ail, les pois cassés, et porter à ébullition.
- Baisser le feu et laisser mijoter à couvert environ 35 minutes ou jusqu'à ce que les pois cassés soient tendres.
- Incorporer les feuilles d'épinards, assaisonner, monter le feu et laisser mijoter 5 minutes avant de servir.

Soupe de maïs et de quinoa

Cette soupe bien relevée conjugue deux ingrédients très prisés des Sud-Américains, dont le quinoa, aliment réputé pour ses qualités régénératrices.

Ingrédients (pour six)

2 c. à soupe d'huile de pépins de raisin
1 oignon, émincé
1 poivron rouge, en dés
1 ½ tasse (375 ml) de grains de maïs frais ou une boîte de maïs en grains de 12 oz (340 ml)
4 tasses (1 l) de bouillon de poulet (voir recette p. 165)
1 c. à café de harissa
4 c. à soupe de quinoa, soigneusement rincé

Préparation

- Dans une casserole, faire revenir l'oignon dans l'huile sans le colorer.
- Ajouter les dés de poivron, le maïs et la harissa, et cuire à couvert 10 minutes.
- Ajouter le quinoa, saler et poivrer, et laisser se poursuivre la cuisson encore 10 minutes.

Variante

Pour un potage riche en calcium, supprimer le poivron rouge et remplacer 1 tasse du bouillon par 1 tasse de boisson au soja au naturel, et passer au mélangeur. Garnir de feuilles de coriandre ou de persil.

Les mets d'accompagnement

Les mets d'accompagnement, des associés santé

Accompagner un mets, c'est souvent le mettre en valeur en lui adjoignant un aliment discret qui complétera ses saveurs. Mais c'est aussi lui procurer un associé capable de rééquilibrer sa composition trop riche en matières grasses. Les légumes sont les mieux préparés à jouer ce rôle dans des menus qui comprennent de la viande, car ils pourront opposer aux mauvais gras que contiennent les mets carnés leur forte teneur en fibres et en vitamines.

Si vous consommez plusieurs repas de viande dans une même semaine, assurez-vous de leur adjoindre des portions substantielles de légumes. Consultez les pages qui leur sont consacrées et essayez-en que vous ne connaissez pas afin de varier la composition de vos menus. Les céréales apportent une précieuse collaboration à des personnes qui se nourrissent de plats moins copieux ou qui ont besoin de profiter de leurs vertus curatives.

Recettes de mets d'accompagnement

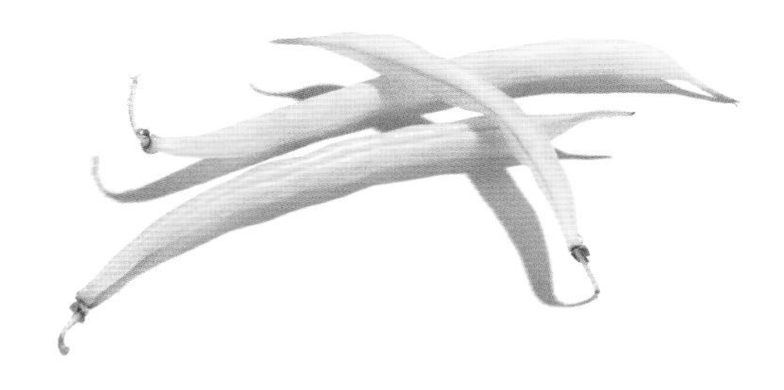

Chou-fleur à l'indienne

Grâce aux parfums des épices et du bouillon, ce légume tout simple se transforme en un accompagnement délicieux qui procure vitamines toniques et fibres protectrices.

Ingrédients (pour quatre ou six)

1 chou-fleur
3 c. à soupe de beurre clarifié ou de margarine non hydrogénée
1 c. à café de gingembre râpé
½ c. à café de curcuma
1 c. à café de graines de cumin
1 tasse (250 ml) de bouillon de poulet (voir recette p. 165)
1 ½ c. à soupe de beurre clarifié
1 ½ c. à soupe de farine
Sel et poivre au goût

Préparation

- Découper le chou-fleur en petits bouquets.
- Afin d'éliminer son amertume, le faire tremper 1 heure dans de l'eau froide, puis l'égoutter soigneusement.
- Dans une casserole, faire fondre le beurre ou la margarine.
- Ajouter le gingembre et le curcuma, et faire revenir à feu doux ½ minute.
- Ajouter le chou-fleur et bien mélanger pour que les bouquets se colorent sur tous les côtés.
- Ajouter sel, poivre et cumin.
- Incorporer la tasse de bouillon, couvrir et porter à ébullition.
- Baisser le feu et cuire une quinzaine de minutes.
- Quand le chou-fleur est croquant, préparer la sauce en mélangeant dans une petite casserole le beurre et la farine sur feu doux.
- Retirer le chou-fleur du bouillon et verser celui-ci dans le mélange beurre-farine. Faire chauffer doucement jusqu'à ce que la sauce épaississe.
- Pour servir, napper le chou-fleur de sauce.

Choux de Bruxelles sautés

Voici une manière facile et délicieuse d'apprêter ces légumes aux pouvoirs antiviraux reconnus.

Ingrédients (pour quatre)

2 tasses (500 ml) de choux de Bruxelles, débarrassés de leurs feuilles flétries et lavés
2 c. à soupe d'huile d'olive ou de beurre clarifié
6 oignons verts, émincés, ou 2 échalotes, hachées
½ poivron rouge, coupé en dés
1 gousse d'ail, émincée finement
1 c. à soupe (15 ml) de sauce soja ou tamari
¼ tasse (60 ml) d'eau
Le zeste et le jus de ½ citron
2 c. à soupe de graines de sésame
Sel et poivre au goût

Préparation

- Faire tremper les choux 30 minutes dans un plat d'eau additionnée de 1 c. à thé de vinaigre.
- Dans un poêlon, faire revenir les oignons verts ou les échalotes et le poivron dans l'huile sans les colorer.
- Ajouter les choux, l'ail, la sauce soja, le jus de citron et l'eau, et porter à ébullition.
- Couvrir, baisser le feu et laisser mijoter une dizaine de minutes.
- Rectifier l'assaisonnement, garnir du zeste de citron et de graines de sésame, puis servir.

Endives braisées

Le jus de citron vient s'opposer à l'amertume des endives et leur confère un goût savoureux. Ces légumes peu caloriques sont particulièrement recommandés aux femmes enceintes ou à celles qui allaitent.

Ingrédients (pour deux)

4 endives bien fraîches
½ tasse (125 ml) d'eau
1 c. à thé de sucre
1 c. à soupe de beurre
2 c. à soupe de jus de citron

Préparation

- Dans un poêlon, déposer les endives, l'eau et le sucre.
- Porter à ébullition et retirer du feu dès que l'eau commence à bouillir.
- Jeter l'eau sucrée et réserver les endives.
- Mettre le beurre dans le poêlon et y faire braiser les endives 10 minutes à feu doux jusqu'à ce qu'elles soient tendres et légèrement caramélisées, et en surveillant la cuisson pour ne pas qu'elles brûlent.
- Arroser du jus de citron et servir avec une grillade.

Fenouil braisé à la sauce tomate

Cuit dans une sauce tomate, le fenouil fait une entrée délectable qui aide à combattre la flatulence.

Ingrédients (pour quatre)

1 bulbe de fenouil, paré
1 c. à soupe d'huile d'olive
¼ tasse (60 ml) de vin blanc
1 tasse (250 ml) de sauce aux tomates fraîches (voir recette p. 226)
10 ou 12 olives noires de Kalamata, dénoyautées et émincées
½ tasse (125 ml) de chapelure aux noix ou de fromage, pour gratiner

Préparation

- Allumer le four à 350 °F (180 °C).
- Couper le fenouil en quatre dans le sens de la longueur et enlever la partie dure du centre.
- Dans une casserole, faire chauffer l'huile, y faire revenir le fenouil, ajouter le vin blanc, couvrir et cuire à feux très doux une vingtaine de minutes, en surveillant pour que le fenouil ne caramélise pas, et jusqu'à ce qu'il soit *al dente*.
- Disposer le fenouil dans un plat allant au four, y verser la sauce aux tomates et les morceaux d'olives noires.
- Garnir de chapelure aux noix ou de fromage selon que le plat est servi en accompagnement ou en entrée.
- Cuire au four 20 minutes ou jusqu'à ce que le plat soit gratiné.

Variante

- Remplacez la sauce aux tomates par une sauce à la viande et vous obtenez un succulent plat principal pour deux.

Haricots frais aux câpres et au citron

Cet accompagnement délicieux est recommandé aux personnes souffrant d'anémie ou qui se rétablissent après une maladie.

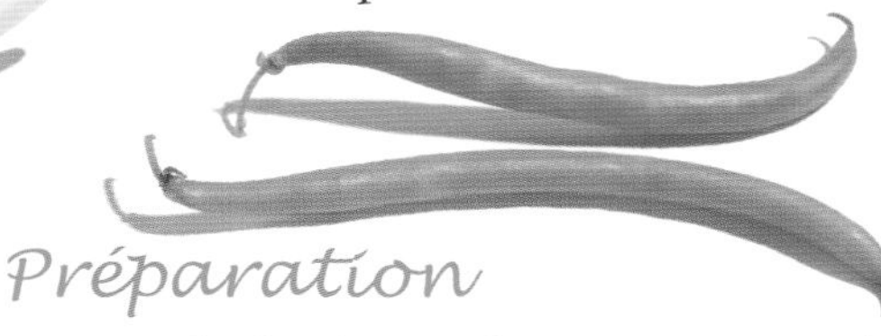

Ingrédients (pour quatre)

1 lb (500 g) de haricots frais, lavés et parés
2 c. à soupe d'huile d'olive
1 petite échalote sèche, hachée
2 c. à soupe de câpres
1 c. à café de jus de citron
Le zeste de ½ citron
Feuilles de basilic fraîches, hachées

Préparation

- Cuire les haricots à la vapeur une quinzaine de minutes ou jusqu'à ce qu'ils soient *al dente*.
- Cinq minutes avant la fin de la cuisson, faire chauffer l'huile dans un poêlon et y faire revenir l'échalote à feu moyen sans la colorer.
- Ajouter les câpres et le jus de citron, et y jeter les haricots dès qu'ils sont cuits.
- Ajouter le zeste de citron, assaisonner au goût et décorer de feuilles de basilic et servir.

Millet en cocotte

Le millet est riche en niacine, une substance qui ralentit le déclin des facultés mentales et réduit les risques de souffrir de la maladie d'Alzheimer.

Ingrédients (pour quatre)

1 tasse (250 ml) de millet entier
2 ¼ tasses (560 ml) d'eau
3 c. à soupe d'huile d'olive
2 oignons, émincés
2 carottes, coupées en petits dés
¼ tasse (60 ml) de feuilles de céleri, hachées
2 gousses d'ail, émincées finement
¼ c. à thé de thym
Sel et poivre au goût
Gruyère râpé

Préparation

- Rincer le millet et le laisser tremper dans l'eau froide 2 heures. Chauffer l'huile, y faire revenir les légumes et assaisonnements, remuer et cuire quelques minutes.
- Ajouter le millet et son eau de trempage, et porter à ébullition.
- Baisser le feu et laisser mijoter à couvert 25 minutes ou jusqu'à ce que le millet soit tendre.
- Verser dans un plat allant au four, saupoudrer de fromage râpé et faire dorer à 375 °F (190 °C) une dizaine de minutes.

Plantains au panais et à la coriandre

Le plantain est réputé soulager les ulcères et diverses formes d'inflammation. Solution de rechange aux pommes de terres rôties, ce plat accompagne bien une viande grillée.

Ingrédients (pour quatre)

1 c. à soupe d'huile d'olive
2 échalotes sèches, émincées
1 gousse d'ail, finement émincée
2 bananes plantains, coupées en dés
1 panais moyen, coupé en dés
½ tasse (125 ml) de bouillon de poulet
1 bouquet de feuilles de coriandre fraîches, ciselées
Sel et poivre au goût

Préparation

- Dans un grand poêlon, faire revenir l'échalote dans l'huile sans la colorer.
- Ajouter l'ail, les plantains, le panais et le bouillon, et porter à ébullition.
- Baisser le feu et laisser mijoter à couvert 20 minutes sur feu doux en vérifiant que le panais ne caramélise pas.
- Ajouter la coriandre et servir.

Poêlée de champignons et de topinambours

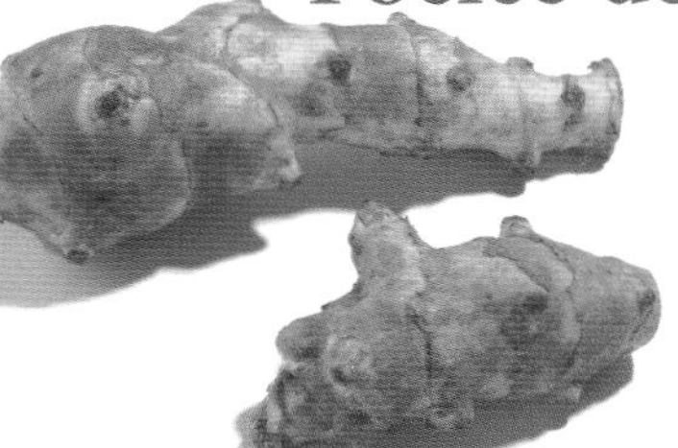

Les personnes souffrant d'hypertension profiteront de la saveur délicate du topinambour qui rappelle à la fois la noisette et l'artichaut, et se marie harmonieusement avec le champignon. Ce plat tout simple accompagne à merveille un poisson grillé.

Ingrédients (pour quatre)

4 topinambours, lavés et brossés
1 c. à soupe de jus de citron
8 oz (227 g) de petits champignons, tranchés
1 petite gousse d'ail, hachée finement
1 échalote sèche, hachée finement
2 c. à soupe de beurre ou de margarine non hydrogénée
2 c. à soupe de persil, de ciboulette, de basilic ou d'une autre herbe fraîche émincée

Préparation

- Plonger les topinambours dans une casserole d'eau bouillante salée et cuire une vingtaine de minutes ou jusqu'à ce qu'ils soient tendres.
- Égoutter, laisser tiédir.
- Les couper en dés, arroser de jus de citron et réserver.
- Dans un poêlon, faire fondre le beurre ou la margarine, y faire revenir l'échalote et l'ail sans les colorer, ajouter les champignons et les topinambours, et faire cuire à feu doux de 5 à 10 minutes.
- Ajouter les herbes et servir sans attendre.

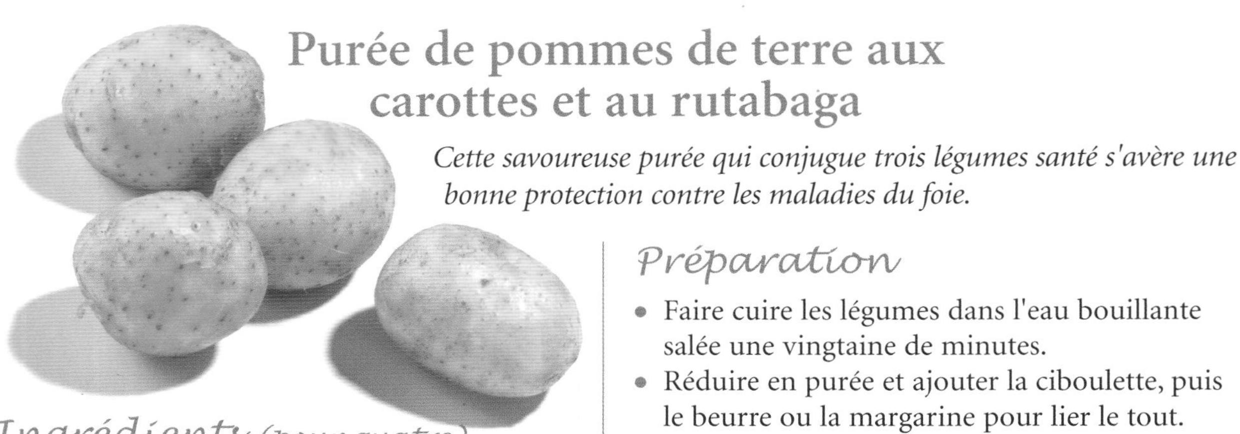

Purée de pommes de terre aux carottes et au rutabaga

Cette savoureuse purée qui conjugue trois légumes santé s'avère une bonne protection contre les maladies du foie.

Ingrédients (pour quatre)

3 grosses pommes de terre à chair jaune, pelées et coupées en quatre
2 carottes, grattées et coupées en morceaux
1 morceau de rutabaga, coupé en cubes
4 c. à soupe de ciboulette, hachée, ou de persil frais, haché
1 c. à soupe de beurre ou de margarine non hydrogénée

Préparation

- Faire cuire les légumes dans l'eau bouillante salée une vingtaine de minutes.
- Réduire en purée et ajouter la ciboulette, puis le beurre ou la margarine pour lier le tout.
- Servir avec une viande rôtie.

Truc

- Cette purée se conserve 3 jours au réfrigérateur. Gardez vos restes dans des ramequins et réchauffez 30 secondes au four micro-ondes.

Riz au cari et aux pistaches

Très digeste, le riz contient des fibres solubles ayant la propriété de diminuer les risques d'affections cardiaques et de divers types de cancer. Épicé à l'indienne, il accompagne de manière raffinée un saumon grillé arrosé de jus de citron.

Ingrédients (pour quatre ou six)

2 c. à soupe de beurre clarifié
1 petit oignon, haché
½ c. à café de chacune des épices suivantes : curcuma, cardamome, piments broyés et coriandre
1 c. à café de cumin
1 tasse (250 ml) de riz basmati ou de riz à grain long
2 gousses d'ail, hachées finement
2 tasses (500 ml) d'eau ou de bouillon de poulet ou de légumes (voir recettes pp. 165 et 166)
⅓ tasse (75 ml) de pistaches, écalées
Sel et poivre au goût

Préparation

- Dans une casserole, faire revenir l'oignon dans le beurre clarifié sans le colorer.
- Ajouter les épices et bien mélanger en laissant cuire 2 minutes à feux doux.
- Incorporer le riz et bien l'enrober du mélange de beurre et d'épices.
- Ajouter l'ail et le bouillon, et porter à ébullition.
- Baisser le feu et laisser mijoter entre 15 et 25 minutes selon que vous aurez choisi du basmati et ou un riz à grain long.
- Goûter, assaisonner au besoin et ajouter les pistaches au dernier moment, juste avant de servir.

Riz aux poireaux, aux herbes et aux champignons

Ce riz parfumé au citron convient particulièrement aux personnes souffrant d'hypertension. Il accompagne à merveille les filets de poisson sautés.

Ingrédients (pour quatre ou six)

1 c. à soupe d'huile d'olive
1 petite échalote sèche, hachée
1 tasse (250 ml) de riz à grain long
2 ¼ tasses (560 ml) de bouillon de poulet (voir recette p. 165)
2 gousses d'ail, hachées finement
Le zeste râpé de 1 citron
1 c. à soupe d'huile d'olive
2 poireaux, émincés finement
1 c. à café d'herbes de Provence
1 tasse (250 ml) de champignons de Paris, tranchés
Sel et poivre au goût

Préparation

- Dans une casserole, faire revenir l'échalote dans l'huile sans la colorer.
- Ajouter le riz, le bouillon et l'ail, et porter à ébullition.
- Baisser le feu et laisser mijoter 20 minutes.
- Pendant ce temps, dans un poêlon, faire revenir le poireau dans l'huile, ajouter les champignons et les herbes, et cuire une dizaine de minutes à feu doux.
- Lorsque le temps de cuisson du riz est écoulé, ajouter dans la casserole le zeste de citron et le mélange de poireaux et de champignons aux herbes.
- Bien mélanger, assaisonner au goût et servir.

Riz brun aux amandes

Ce riz est excellent pour abaisser la tension. Pour le servir comme plat principal, il suffit d'y ajouter des légumes cuits cinq minutes avant la fin de la cuisson – courgettes, brocolis, carottes – et d'augmenter la quantité de raisins et d'amandes.

Ingrédients (pour quatre)

1 c. à soupe de beurre clarifié ou d'huile d'olive
1 c. à café d'herbes de Provence
1 c. à café de zeste d'orange
1 tasse (250 ml) de riz complet à grain long
2 ¼ tasses (560 ml) de bouillon de légumes (voir recette p. 166)
2 c. à soupe d'amandes effilées, grillées
2 c. à soupe de raisins secs
Sel et poivre au goût

Préparation

- Faire revenir le riz doucement dans le beurre clarifié ou l'huile pour bien l'enrober.
- Ajouter les herbes et le zeste d'orange, et cuire 1 minute en remuant.
- Ajouter le bouillon de légumes et porter à ébullition.
- Couvrir, baisser le feu et laisser mijoter doucement sans remuer durant 25 minutes ou un peu plus, jusqu'à ce que le liquide soit entièrement absorbé et que les grains soient tendres.
- Retirer du feu, incorporer les amandes et les raisins.
- Rectifier l'assaisonnement et laisser reposer 5 minutes avant de servir.

Tourte indienne au riz et à la patate douce

Cette succulente tourte au cari, riche en fibres et en vitamines, peut aussi bien se servir en entrée que comme plat d'accompagnement. Parce qu'elle est bourrative sans être calorique, elle convient particulièrement aux diabétiques ou aux personnes qui surveillent leur poids.

Ingrédients (pour quatre ou six)

2 patates douces, pelées et coupées en morceaux
½ c. à café de pâte de cari jaune
2 tasses (500 ml) de riz brun, cuit
1 gros œuf, battu et séparé en deux parts égales
2 c. à soupe d'huile
1 c. à café de cari
½ c. à café de coriandre moulue
½ c. à café de cumin moulu
8 oz (227 g) de champignons, hachés
2 échalotes sèches, hachées
1 gousse d'ail, hachée finement
Sel et poivre au goût

Préparation

- Faire cuire les patates douces dans de l'eau bouillante une douzaine de minutes, jusqu'à ce qu'elles soient tendres.
- Égoutter et piler les patates douces avec la pâte de cari.
- Laisser refroidir et réserver.
- Allumer le four à 350 °F (180 °C).
- Battre l'œuf et mélanger la moitié de l'œuf battu au riz.
- Dans une assiette à tarte préalablement beurrée ou huilée, étendre la préparation au riz et la presser sur le fond et les côtés du moule de manière qu'elle y adhère bien. Réserver.
- Dans un grand poêlon, faire revenir l'échalote, les épices et l'ail dans l'huile sans les laisser brunir.
- Ajouter les champignons et cuire quelques minutes jusqu'à ce que le liquide soit absorbé.
- Laisser tiédir et ajouter l'autre moitié de l'œuf battu.
- Mélanger ensuite la préparation aux patates douces et la préparation aux champignons.
- À l'aide d'une cuiller, verser ce mélange dans l'assiette à tarte.
- Enfourner et cuire 25 minutes, jusqu'à ce que la tourte soit ferme.

Les plats de résistance

Les plats de résistance

Ordinairement considéré comme l'élément essentiel de tout bon repas, le plat de résistance est trop souvent un plat de viande bourré de protéines et de matières grasses, du moins est-ce ainsi qu'on le conçoit généralement.

La viande n'est pas exclue des menus de ce livre, elle possède d'incontestables qualités. Cependant, comme elle n'est pas perçue par les professionnels de la santé comme un aliment guérisseur et indispensable à l'équilibre nutritionnel, nous avons choisi de l'ignorer dans la composition de nos recettes. Et pour nous opposer à l'idée selon laquelle tout ce qui remplit l'estomac est nutritif, nous proposons ici quelques solutions de rechange légères aux mets remplis de protéines que la majorité des gens ont l'habitude de consommer comme plats de résistance.

Recettes de plats de résistance

(suite au verso)

(suite des recettes de plats de résistance)

Burgers au tofu

Le tofu est riche en calcium. Ces galettes légères, agréablement parfumées de graines de fenouil moulues et de tahini, sont une savoureuse solution de rechange aux hamburgers à la viande.

Ingrédients (pour quatre)

½ lb (250 g) de tofu ferme
¼ tasse (60 ml) de tahini*
2 c. à soupe d'huile d'olive
1 oignon, haché finement
6 champignons, émincés
2 petites carottes, râpées
1 c. à café de graines de fenouil, moulues
⅓ tasse (75 ml) de graines de tournesol non salées, finement broyées
¼ tasse (60 ml) de chapelure
1 c. à soupe de sauce soja ou tamari
Sel et poivre au goût

* Le tahini est une purée de graines de sésame que l'on trouve dans les épiceries fines.

Préparation

- Placer le tofu dans une passoire afin de le faire dégorger. Laisser reposer 30 minutes et assécher avec un linge.
- Au robot culinaire, réduire le tofu en purée.
- Ajouter le tahini et mélanger jusqu'à consistance homogène.
- Dans un poêlon, faire chauffer l'huile et y faire revenir les oignons quelques minutes sans les colorer. Ajouter les champignons et les carottes, et cuire 5 minutes ou jusqu'à ce que les légumes soient tendres.
- Dans le robot culinaire, incorporer au tofu cette préparation de légumes, puis les graines de fenouil, les graines de tournesol, la chapelure et la sauce soja ou tamari.
- Assaisonner au goût et actionner l'appareil jusqu'à ce que la préparation soit mélangée et qu'elle forme une boule.
- Façonner la boule ainsi formée en quatre galettes.
- Les cuire dans un peu d'huile ou de margarine non hydrogénée de 5 à 8 minutes en les retournant une fois, afin qu'elles soient dorées à l'extérieur et chaudes à l'intérieur.
- Servir chaque galette dans un pain kaiser ou entre deux tranches de pain de seigle, garnir de tranches de tomates, de fromage de chèvre et passer sous le gril.

Burgers au millet

Ces délicieux burgers au goût d'arachide sont les préférés des enfants. Ils sont riches en silice, une substance ayant des effets positifs sur le cholestérol sanguin et sur l'ossature

Ingrédients (pour quatre)

1 ½ tasse (375 ml) de millet cuit*
½ tasse (125 ml) de beurre d'arachide naturel
2 c. à soupe de sauce soja ou tamari
2 échalotes sèches, hachées
¼ c. à café de cumin ou d'un mélange d'épices maghrébin (p. 248)
4 petits pains kaiser

* Vous gagnerez du temps en faisant cuire le millet la veille. Le millet se cuit comme le riz, dans le double d'eau de son volume, 25 minutes, jusqu'à ce que le liquide soit absorbé.

Préparation

- Mélanger tous les ingrédients et former quatre galettes.
- Dans un poêlon, faire chauffer un peu d'huile ou de margarine non hydrogénée et y déposer les galettes à feu moyen durant 2 minutes. Les retourner délicatement, car elles sont fragiles, et continuer la cuisson 2 autres minutes.
- Couper les pains kaiser en deux et les garnir d'une galette chacun.
- Réchauffer entre deux grilles (ou un grille-sandwich) et servir avec une petite salade croquante.

Burgers aux pois chiches

Ces galettes aux pois chiches parfumées d'épices sont une savoureuse façon de consommer des légumineuses, sources de fibres protectrices contre les maladies cardiovasculaires.

Ingrédients (pour quatre)

2 tasses (500 ml) de pois chiches, rincés et égouttés
2 échalotes sèches, émincées finement
2 c. à soupe de tahini*
4 c. à soupe de chapelure de craquelins aux légumes ou d'une autre chapelure
4 c. à soupe de pacanes, hachées
½ c. à café d'un mélange d'épices maghrébin (voir p. 248)
4 petits pains kaiser

* Le tahini est une purée de graines de sésame que l'on trouve dans les épiceries fines.

Préparation

- Dans un robot culinaire, mettre d'abord les pois chiches en conserve et mixer.
- Ajouter les autres ingrédients, mixer de nouveau.
- Façonner cette préparation en quatre galettes et réchauffer dans un peu d'huile ou de margarine non hydrogénée, 2 minutes de chaque côté.
- Placer ces galettes entre deux moitiés de pains kaiser et réchauffer 2 minutes entre deux grilles ou dans un grille-sandwich.

Cari de lentilles aux pistaches

Ce plat parfumé d'épices indiennes fait un repas léger mais nourrissant que l'on peut aussi servir avec un poisson ou une viande grillée. Parce qu'il fournit quantité de fibres, il s'avère également une protection efficace contre les maladies cardiovasculaires.

Ingrédients (pour quatre)

1 ½ tasse (375 ml) de lentilles vertes, lavées et égouttées
2 c. à soupe d'huile de pépins de raisin
2 oignons, hachés
1 carotte, taillée en dés
1 courgette, taillée en dés
1 tasse (250 ml) de champignons tranchés, des shiitakes de préférence
1 c. à thé de gingembre, haché
1 c. à thé de coriandre
1 c. à thé de cumin
1 c. à thé de curcuma
1 gousse d'ail, hachée finement
1 c. à thé à thé de sel
¼ c. à thé de clou de girofle
¼ c. à thé de cardamome
¼ c. à thé de cannelle
¼ c. à thé de flocons de piments
1 ½ tasse (375 ml) de tomates (fraîches ou en conserve), hachées
⅓ tasse (75 ml) d'oignons verts, hachés, avec les tiges
¼ tasse (60 ml) de pistaches, grossièrement hachées
¼ tasse (60 ml) de coriandre fraîche, hachée

Préparation

- Dans une casserole, porter à ébullition 5 tasses d'eau avec les lentilles. Baisser le feu, couvrir et laisser mijoter de 20 à 30 minutes, jusqu'à ce que les lentilles soient tendres.
- Égoutter et réserver.
- Dans une autre casserole plus grande, faire chauffer l'huile et y faire revenir 2 ou 3 minutes les oignons, la carotte, la courgette, les champignons, le gingembre, la coriandre, le cumin, le curcuma, l'ail, le sel, le clou de girofle, la cardamome, la cannelle et les flocons de piment.
- Ajouter les tomates et faire cuire à feu doux 20 minutes, jusqu'à ce que les carottes soient tendres.
- Ajouter les lentilles égouttées et laisser mijoter 3 minutes. Incorporer les oignons verts, les pistaches et la coriandre, et servir bien chaud.

Casserole d'orge gratinée

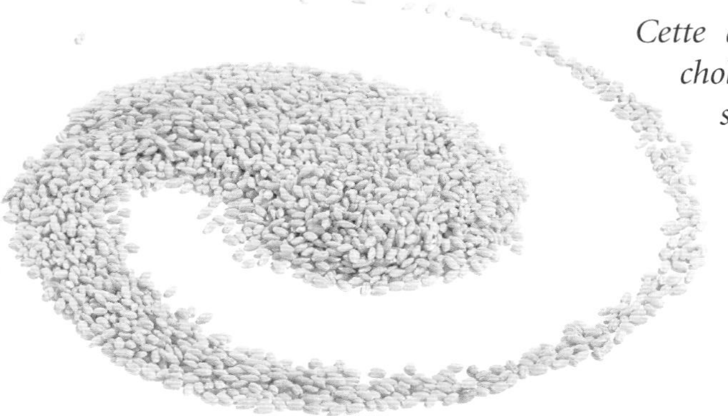

Cette appétissante casserole réduit le taux de mauvais cholestérol. Elle constitue un repas complet et une autre savoureuse solution de rechange aux repas de viande. Les enfants l'aimeront davantage si vous y ajoutez des amandes ou des noix.

Ingrédients (pour quatre)

½ tasse (125 ml) d'orge mondé
2 c. à soupe d'huile d'olive
2 échalotes sèches, émincées finement
1 petite gousse d'ail, hachée finement
¾ tasse (180 ml) de champignons, tranchés
1 ½ tasse de tomates (fraîches ou en conserve), concassées
1 tasse (250 ml) de lentilles, cuites
1 c. à café d'un mélange d'épices (coriandre, cumin, piment, fenouil)
½ c. à café d'origan et de basilic
Sel et poivre au goût
¼ tasse (60 ml) de persil, émincé
¾ tasse (180 ml) de gruyère ou de cheddar fort
¼ tasse (60 ml) d'amandes ou de noix

Préparation

- Laver l'orge mondé, le déposer dans une casserole, couvrir d'eau froide et faire tremper 3 heures.
- Faire cuire l'orge dans son eau de trempage à feu très doux* une trentaine de minutes.
- Pendant ce temps, préparer la sauce.
- Dans un poêlon ou une casserole allant au four, faire revenir dans l'huile l'échalote et l'ail, et y ajouter les champignons.
- Ajouter les tomates, les lentilles et les épices, porter à ébullition, baisser le feu et laisser mijoter à couvert 20 minutes.
- Égoutter l'orge et l'ajouter aux autres ingrédients du poêlon.
- Mettre le persil, goûter et assaisonner, puis bien mélanger.
- Sur le dessus de la casserole, parsemer de fromage et d'amandes.
- Faire dorer au four à 350 °F (180 °C) une trentaine de minutes ou jusqu'à ce que la préparation soit gratinée.

* Prendre soin de baisser le feu dès que l'orge est dans l'eau, car l'orge mondé déborde facilement.

Casserole de haricots rouges et de lentilles

Ce plat unique, qu'on pourrait appeler chili indien parce qu'il combine les légumineuses et les épices qui composent les caris, est gorgé de fibres et de protéines. C'est un extraordinaire protecteur contre les maladies cardiovasculaires en plus d'être un mets savoureux.

Ingrédients (pour quatre)

2 c. à soupe d'huile d'olive
1 oignon, haché finement
1 courgette, en dés
1 gousse d'ail, hachée finement
1 boîte de 19 oz (540 ml) de haricots en conserve
1 boîte de 19 oz (540 ml) de lentilles en conserve
1 œuf
1 carotte, râpée
¾ tasse (180 ml) de cheddar
½ tasse (125 ml) de chapelure
2 c. à soupe de salsa
1 c. à café de chacune des épices suivantes: cumin, coriandre, fenouil moulu, piment
Sel et poivre au goût

Préparation

- Allumer le four à 350 °F (180 °C).
- Beurrer ou huiler légèrement un moule à gâteau suffisamment grand pour contenir toute la préparation de légumineuses.
- Dans une casserole, faire revenir l'oignon et la courgette dans l'huile sans les colorer environ 5 minutes.
- Ajouter l'ail à cette préparation et réserver.
- Rincer les haricots et les lentilles, bien les égoutter et les mettre dans un grand bol. Ajouter le mélange d'oignon et de courgette à l'ail, incorporer les autres ingrédients à cette préparation sauf environ ¼ tasse de fromage dont on se servira pour le gratin. Mélanger délicatement, assaisonner et verser dans le moule en lissant bien le dessus. Ajouter le reste du fromage.
- Faire cuire 3/4 d'heure.

Variante

On peut, si on le désire, servir ce mets en entrée pour remplacer les charcuteries lourdes; dans ce cas passer les légumineuses au robot culinaire avant la cuisson et servir froid.

Casserole de légumes et de pois chiches gratinée

Ce savoureux gratin de légumes rehaussé de noix et de fromage est un plat d'hiver qui fournit quantité de fibres et de vitamines.

Ingrédients (pour quatre)

1 poireau, haché
2 carottes, coupées en dés
3 navets moyens, coupés en dés
1 patate douce, coupée en dés
2 branches de céleri, coupées en dés
3 c. à soupe d'huile d'olive
1 c. à café de coriandre moulue
1 c. à café d'herbes de Provence
1 gousse d'ail, hachée finement
15 oz (425 g) de tomates, épépinées et concassées
1 cube de bouillon de légumes
¼ tasse (60 ml) de lait concentré non sucré
14 oz (400 g) de pois chiches en conserve
Sel et poivre au goût

Croustade

¼ tasse (60 ml) de flocons d'avoine
¼ tasse (60 ml) de chapelure de craquelins aux légumes
¼ tasse (60 ml) de noix
½ tasse (125 ml) de fromage râpé
2 c. à soupe de beurre clarifié

Préparation

- Allumer le four à 375 °F (190° C).
- Dans une casserole allant au four, faire revenir les poireaux, les carottes, les navets, la patate douce et le céleri dans l'huile 5 minutes.
- Ajouter la coriandre, les herbes, l'ail, le cube de bouillon et les tomates, et porter à ébullition.
- Réduire le feu et laisser mijoter 10 minutes.
- Ajouter le lait et les pois chiches, goûter et assaisonner, puis laisser mijoter 10 autres minutes.
- Préparer la croustade en mélangeant les noix, la chapelure, les flocons d'avoine, le beurre et le fromage râpé.
- Étaler cette préparation sur les légumes.
- Enfourner et cuire 15 minutes.

Chili à l'aubergine

Ce plat savoureux facile à réaliser réunit avec bonheur des légumes aux propriétés antioxydantes et les haricots rouges protéinés, une association santé que vient parfumer la poudre de chili, remède efficace pour soulager de l'arthrite.

Ingrédients (pour quatre)

2 c. à soupe d'huile d'olive
1 oignon, émincé
1 gousse d'ail, hachée finement
1 petit poivron rouge, coupé en dés
2 courgettes moyennes, coupées en cubes
1 petite aubergine, coupée en cubes
19 oz (540 ml) de haricots rouges, rincés et égouttés
2 c. à soupe de poudre de chili, plus ou moins au goût
1 tasse (250 ml) ou plus de jus de légumes* ou de bouillon de légumes (voir recette p. 166)
Sel et poivre au goût

* Le cocktail de légumes en conserve fait un excellent bouillon pour ce chili.

Préparation

- Dans une casserole, faire attendrir dans l'huile l'oignon et l'ail 1 ou 2 minutes, sans les colorer.
- Ajouter le poivron, les courgettes et l'aubergine, et cuire 2 autres minutes en remuant.
- Ajouter les haricots, la poudre de chili et suffisamment de jus de légumes pour recouvrir le mélange.
- Porter à ébullition, réduire le feu et laisser mijoter à couvert 30 minutes.
- Retirer le couvercle, rectifier l'assaisonnement, ajouter du poivre ou du piment si vous aimez le chili corsé, et cuire encore une quinzaine de minutes, à découvert si la sauce n'a pas suffisamment épaissi.

Chili au tofu

Ce délicieux chili, sans viande mais riche en fibres, protège l'organisme contre les maladies cardiovasculaires.

Ingrédients (pour quatre)

1 c. à soupe d'huile d'olive
1 oignon, haché
1 poivron, en dés
1 courgette, en dés
1 gousse d'ail, hachée finement
1 tasse (250 ml) de sauce tomate en conserve ou, mieux, de sauce maison
1 tasse (250 ml) de bouillon de légumes
1 boîte de 19 oz (540 ml) de haricots rouges
2 c. à soupe de poudre de chili
1 paquet de 350 g de tofu ferme, défait à la fourchette
Sel et poivre au goût

Préparation

- Chauffer l'huile et y faire revenir l'oignon, le poivron et la courgette sans les colorer.
- Ajouter l'ail, la sauce tomate, le bouillon de légumes, les haricots rouges et les assaisonnements, et cuire 40 minutes.
- Ajouter le tofu et réchauffer quelques minutes avant de servir.

Darnes de saumon au poivre vert
(cuisson au micro-ondes)

Ce mode de cuisson éclair garde au poisson sa chair tendre, juteuse et fine. Il convient également aux filets de saumon et de truite, des poissons riches en oméga-3 aux propriétés réputées.

Ingrédients (pour quatre)

4 darnes de saumon
2 c. à soupe de beurre
2 c. à soupe de jus de citron et le zeste de ½ citron
2 c. à soupe de poivre vert (en conserve dans la saumure)
Sel et poivre au goût

Préparation

- Dans un plat pouvant contenir les quatre darnes, faire fondre le beurre au micro-ondes 1 minute. Ajouter le jus de citron, le zeste et le poivre vert, et mélanger. Déposer les darnes en les retournant une fois dans ce liquide pour bien les imprégner.
- Faire cuire à 70 % 3 minutes. Retourner les darnes et cuire encore 2 autres minutes.
- Vérifier la cuisson et la prolonger au besoin, la durée pouvant varier selon l'épaisseur du poisson. Laisser reposer 3 minutes et servir.

Filets de poisson dorés aux épices

Les poissons gras, comme le saumon ou le maquereau, contiennent des oméga-3, qui ont entre autres propriétés celle de ralentir les effets du vieillissement. Simple et savoureuse, cette manière d'accommoder les filets convient à tous les poissons blancs.

Ingrédients (pour quatre)

1 lb (500 g) de filets de poisson frais
2 œufs, battus
1 c. à café d'un mélange d'épices fait de piments broyés, de coriandre moulue, de cumin moulu, de fenouil moulu et de cardamome
½ tasse (125 ml) de chapelure
2 c. à soupe de beurre clarifié, de margarine non hydrogénée ou d'huile de pépins de raisin
Le jus et le zeste de ½ citron
Sel et poivre au goût

Préparation

- Placer les filets de poisson sur une grande feuille de papier ciré.
- Dans un bol suffisamment grand pour y tremper les filets, un à la fois, battre les œufs.
- Dans un autre bol de même dimension, mélanger la chapelure, le zeste de citron et les épices.
- Faire chauffer le beurre, la margarine non hydrogénée ou l'huile dans un grand poêlon.
- Tremper un filet dans la préparation d'œufs battus, puis dans le mélange de chapelure et d'épices, et faire de même avec tous les filets.
- Faire cuire dans le poêlon, assaisonner au goût, arroser du jus de citron et servir bien chaud.

Filets de saumon aux graines de sésame

Délicieusement nappés d'une sauce à l'orange et au gingembre, ces filets se préparent en un tournemain. Ils contiennent quantité d'oméga-3, des acides gras essentiels qui régulent la tension artérielle et conservent l'élasticité des artères.

Ingrédients (pour quatre)

4 filets de saumon frais d'environ 4 oz (125 g) chacun
1 c. à soupe de miel
1 c. à soupe de sauce soja ou tamari
1 c. à café de moutarde de Dijon
1 c. à soupe d'huile de pépins de raisin
2 c. à soupe de graines de sésame
6 à 8 tasses de laitues variées, lavées et essorées

Vinaigrette

1 gousse d'ail, émincée
1 c. à café de gingembre, émincé
3 c. à soupe de jus d'orange
2 c. à café de sauce soja ou tamari
2 c. à café de vinaigre balsamique
2 c. à café d'huile de sésame
Quelques gouttes de sauce aux piments

Préparation

- Allumer le four à 425 °F (220 °C).
- Éponger les filets de saumon et réserver.
- Mélanger le miel, la sauce soja ou tamari, la moutarde et l'huile, et en enrober le saumon avant de le saupoudrer des graines de sésame.
- Dans une poêle antiadhésive légèrement huilée, faire revenir le saumon à feu moyen-fort 1 minute de chaque côté.
- Enfourner et faire cuire de 7 à 8 minutes.
- Pendant ce temps, préparer la vinaigrette en battant au fouet l'ail, le gingembre, le jus d'orange, la sauce soja, le vinaigre, l'huile de sésame et la sauce aux piments.
- Disposer les feuilles de salade dans 4 assiettes et, lorsque le poisson est cuit, le déposer sur les salades avant de napper de la vinaigrette.

Lasagnes aux épinards et aux champignons

Ce plat sans viande, en plus d'être nutritif et délectable, constitue une protection efficace contre le mauvais cholestérol et divers types d'infections.

Ingrédients (pour quatre)

6 à 9 feuilles de lasagne

Sauce

4 c. à soupe de beurre clarifié
4 c. à soupe de farine
2 tasses (500 ml) de lait 2 %
La moitié d'un oignon
Sel et poivre au goût

Farce

2 c. à soupe d'huile d'olive
1 échalote sèche, émincée
1 paquet de 8 oz (227 g) de champignons, émincés
1 gousse d'ail, émincée finement
1 paquet de 10 oz (284 g) d'épinards, lavés, essorés et hachés
¼ tasse (60 ml) de noisettes, hachées grossièrement
1 pincée de muscade
¾ tasse (180 ml) de gruyère, râpé
Sel et poivre au goût

Préparation

- Allumer le four à 375 °F (190 °C).
- Faire cuire les lasagnes *al dente* en suivant le mode d'emploi du fabricant. Laisser égoutter et tiédir. Pendant qu'elles cuisent puis s'égouttent, préparer la sauce.
- Dans une petite casserole, chauffer le beurre, ajouter la farine en brassant, puis l'oignon et le lait, et cuire jusqu'à ce que la sauce épaississe.
- Retirer l'oignon, assaisonner et laisser tiédir.
- Préparer ensuite la farce en cuisant l'échalote dans l'huile sans la colorer.
- Ajouter les champignons et l'ail, et faire cuire jusqu'à ce que l'eau des champignons soit évaporée.
- Incorporer les épinards, les noix et la muscade, et chauffer en laissant les épinards se détendre à la chaleur.
- Assaisonner, goûter et rectifier l'assaisonnement.
- Dans un plat beurré ou huilé allant au four de 7 po x 12 po, déposer un rang de lasagnes.
- Étaler ensuite une couche uniforme du mélange aux épinards et recouvrir d'une couche de sauce.
- Étaler un deuxième rang de lasagnes, puis une deuxième couche de farce aux épinards.
- Terminer par un rang de lasagnes, une couche de sauce et recouvrir du fromage râpé.
- Enfourner et cuire 35 minutes ou jusqu'à ce que la surface soit gratinée.

Linguines aux amandes

Les amandes grillées, l'orange et le gingembre prêtent leur goût au tofu qui, lui, n'en a pas du tout. Mais ce mal-aimé contient en revanche des protéines, du calcium et des nutriments qui compensent largement son manque de saveur.

Ingrédients (pour quatre)

1 c. à soupe d'huile d'olive
2 gousses d'ail, hachées finement
1 poireau, haché
1 tasse (250 ml) de champignons, émincés
½ poivron rouge, coupé en dés
1 carotte, râpée
½ tasse (125 ml) de bouillon de légumes ou de poulet (voir recettes pp. 165 et 166)
2 c. à soupe de sauce tamari ou, à défaut, de sauce soja
1 c. à café de gingembre, râpé
Le zeste de 1 orange
1 bloc de tofu, égrené
½ tasse (125 ml) d'amandes effilées, grillées (passées au four à 350 °F 7 à 9 minutes)
¾ lb (375 g) de linguines, cuites dans l'eau salée
Sel et poivre au goût

Préparation

- Dans un poêlon, chauffer l'huile et y faire revenir le poireau sans le colorer. Ajouter l'ail, les champignons, le poivron, la carotte, le bouillon, la sauce tamari et le gingembre, et bien mélanger pour enrober les légumes.
- Couvrir, porter à ébullition, réduire le feu et laisser mijoter 5 minutes ou jusqu'à ce que les champignons aient ramolli.
- Ajouter le tofu et le zeste d'orange, et mélanger.
- Couvrir et laisser mijoter 5 autres minutes.
- Parsemer des amandes grillées.
- Servir sur les pâtes cuites *al dente*.
- Si la sauce est trop liquide, on peut l'épaissir avec de la fécule de maïs délayée dans un peu d'eau.

Variante

Omettre la carotte, le zeste d'orange et le gingembre, et les remplacer par des tomates séchées, des feuilles de basilic hachées et des morceaux d'olives noires.

Pâtes courtes à l'anchoïade (ou putanesca)

Voici une succulente façon de profiter des vertus antivirales de l'ail.

Ingrédients (pour quatre)

14 oz (450 g) de pâtes courtes, fusillis, pennes ou autres, cuites
4 c. à soupe d'huile d'olive
15 à 20 olives noires, dénoyautées et émincées
6 filets d'anchois, hachés puis mélangés à 1 c. à thé de beurre
2 gousses d'ail, hachées finement
1 c. à soupe de câpres, rincées, égouttées et hachées
1 ½ tasse (375 ml) de tomates fraîches, pelées, épépinées et concassées, ou, à défaut, en conserve
4 c. à soupe de persil plat, haché
Poivre frais moulu

Préparation

- Chauffer l'huile à feu modéré et y faire revenir les olives, les anchois, l'ail et les câpres 2 minutes.
- Ajouter les tomates, porter à ébullition, baisser le feu et faire cuire 20 minutes, à couvert.
- Mélanger cette sauce aux pâtes cuites, recouvrir de persil, assaisonner au goût et servir bien chaud.

Pizza jardinière au saumon

Cette petite pizza vite préparée peut aussi servir d'entrée. Et elle est infiniment plus saine que les surgelées sans être plus longue à préparer. Grâce au saumon, c'est une bonne source d'oméga-3.

Ingrédients (pour quatre)

4 tortillas prêtes à garnir
2 belles tomates fraîches, épépinées, broyées et égouttées, ou, à défaut, 4 c. à soupe de sauce à pizza
7,5 oz (213 g) de saumon sockeye en conserve, égoutté et émietté
12 à 16 champignons, finement tranchés
12 à 16 olives noires, dénoyautées et hachées
1 tasse (250 ml) de gruyère, râpé

Préparation

- Allumer le four à 450 °F (230 °C).
- Déposer les tortillas sur une grande plaque à cuisson ou dans des assiettes à pizza individuelles.
- Garnir chacune de tomates concassées ou de sauce, d'un quart de part du saumon émietté, des champignons tranchés et des morceaux d'olives noires.
- Recouvrir de fromage râpé.
- Enfourner et cuire 6 ou 7 minutes, jusqu'à ce que le fromage soit gratiné.

Quiche au millet, au tofu et aux lentilles

Cette succulente tarte au fromage, riche en protéines, en fibres et en calcium, est un délice qui protège contre les maladies cardiovasculaires.

Ingrédients (pour quatre ou six)

Le fond

¾ tasse (180 ml) de millet, cuit
¾ tasse (180 ml) de fromage, râpé
1 petit œuf battu

La garniture

2 c. à soupe d'huile d'olive
1 échalote sèche, hachée
1 gousse d'ail, hachée finement
½ poivron rouge, en dés
½ poivron orange, en dés
1 tasse (250 ml) de lentilles, cuites
1 courgette, en cubes
1 c. à thé de cari
½ c. à thé de graines de fenouil, moulues
½ c. à thé de coriandre, moulue
½ c. à thé de curcuma
¼ tasse (60 ml) de crème 15 %
½ bloc de tofu ordinaire de 8 oz (225 g), en dés
1 œuf, légèrement battu

Le gratin

¾ tasse (180 ml) de millet, cuit
¾ tasse (180 ml) de fromage, râpé
¼ tasse (60 ml) de pignons

Préparation

- Beurrer une assiette à tarte et la tapisser du mélange de millet, fromage et œuf, en pressant légèrement de façon à la couvrir en entier.
- Dans un poêlon, faire revenir dans l'huile l'échalote, l'ail et les poivrons quelques minutes sans les colorer.
- Ajouter les lentilles, les courgettes et les épices, et laisser cuire 15 minutes en ajoutant du bouillon ou de l'eau au besoin pour que le mélange soit bien humecté.
- Retirer du feu, laisser tiédir et ajouter les dés de tofu, la crème et l'œuf battu.
- Mélanger ensuite les ingrédients du gratin et étendre sur la quiche.
- Cuire à 350 °F (180 °C) 30 minutes.

Truc

Faire cuire le millet la veille. En prévoir un peu plus de manière à en garder pour ajouter aux bouillons et aux potages.

Quiche aux légumes et au fromage feta à la croûte aux pacanes

Combinant champignons, épinards et courgettes à un mélange d'œufs, de lait et de fromage, ce plat constitue un repas santé rempli de calcium et d'aliments protecteurs.

Ingrédients (pour quatre ou six)

2 c. à soupe de margarine non hydrogénée
¾ tasse (180 ml) de chapelure (mélange de pacanes hachées et de craquelins aux légumes)
1 c. à soupe d'huile d'olive
1 blanc de poireau, haché
1 tasse (250 ml) de champignons, tranchés
1 tasse (250 ml) de courgettes, hachées
3 tasses (750 ml) d'épinards frais, hachés
2 œufs
1 tasse de lait concentré non sucré
⅔ tasse (150 ml) de feta, en morceaux
2 c. à soupe de basilic frais haché (1 c. à thé de basilic séché)
Un peu de sauce aux piments

Variante

On peut remplacer le fromage feta par du gruyère. En ce cas, il faut réduire le temps de cuisson d'une dizaine de minutes et saler la préparation d'œufs, le gruyère contenant beaucoup moins de sel que le feta.

Préparation

- Allumer le four à 350 °F (180 °C).
- Huiler une assiette à quiche ou un moule de 10 po (25 cm) de diamètre allant au micro-ondes* avec un peu de margarine. Bien mélanger le reste de la margarine avec la chapelure et recouvrir de ce mélange l'assiette à quiche ou le moule.
- Cuire 2 minutes au micro-ondes à intensité moyenne-élevée (70 %).
- Dans un poêlon à surface antiadhésive, faire revenir dans l'huile le blanc de poireau, les champignons et les courgettes 7 minutes environ ou jusqu'à ce que les légumes soient tendres et que le liquide soit évaporé.
- Ajouter les épinards et cuire encore 2 minutes.
- Dans un grand bol, battre les œufs et incorporer le lait. Ajouter en remuant le fromage, le basilic et la sauce aux piments.
- Verser à la cuiller dans l'assiette le mélange de légumes et recouvrir du mélange d'œufs et de lait.
- Enfourner et cuire de 40 à 50 minutes ou jusqu'à ce que la surface de la quiche soit dorée.

* Dans un four conventionnel, cuire 15 minutes à 350 °F.

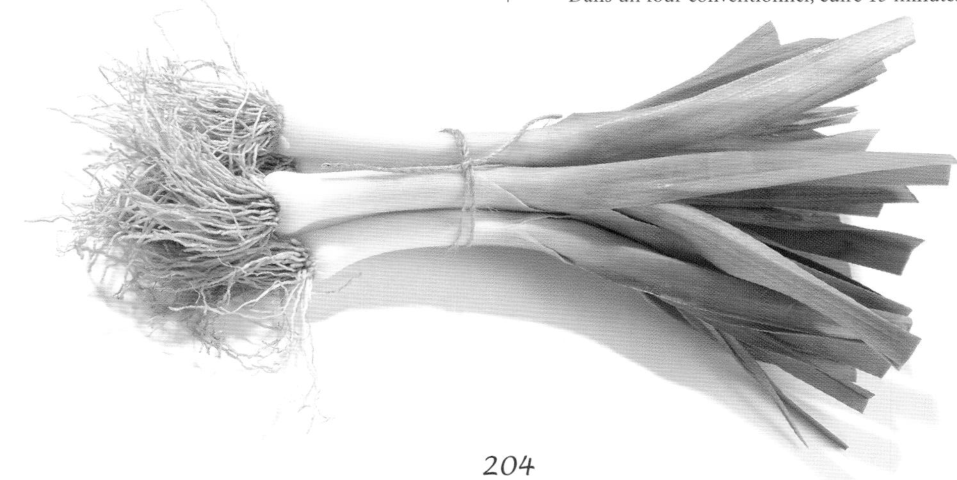

Rouleaux au chou chinois

Ce plat substantiel et digeste réunit plusieurs aliments qui protègent contre les maladies cardiovasculaires.

Ingrédients (pour quatre)

12 grandes feuilles de chou chinois
1 ½ tasse (375 ml) de riz sauvage ou de quinoa, cuit
1 tomate, évidée et taillée en dés
2 tranches de poivrons rouges, grillés (voir recette p. 101)
⅔ tasse (150 ml) de pacanes, écrasées grossièrement
1 c. à café de harissa (voir recette p. 223)
Sel et poivre au goût

Sauce aux champignons

1 c. à soupe d'huile
1 échalote, hachée
1 gousse d'ail, hachée
8 oz (227 g) de champignons de Paris
3 c. à soupe de beurre
3 c. à soupe de farine
1 ½ tasse (375 ml) de bouillon de poulet (voir recette p. 165)
1 c. à soupe de sauce Worcestershire
1 c. à café de poivre

Préparation

- Allumer le four à 350 °F (180 °C).
- Faire chauffer de l'eau dans une casserole suffisamment grande pour y plonger les feuilles de chou chinois.
- Pendant ce temps, préparer la farce en mélangeant le riz sauvage ou le quinoa cuit, les noix, le poivron, la tomate et la sauce harissa.
- Dans la casserole d'eau bouillante, plonger les feuilles de chou 1 minute, puis les passer dans l'eau glacée et les égoutter dans une passoire.
- Assécher les feuilles de chou, retirer l'excédent de la tige et déposer sur chaque feuille, dans sa partie la plus large, 3 ou 4 c. à soupe de farce. Rouler doucement la feuille de façon à former un rouleau et, au besoin, la fixer à l'aide d'un cure-dents. Faire de même avec toutes les feuilles, déposer dans un plat à gratin beurré et enfourner 15 minutes.
- Pendant ce temps, préparer la sauce aux champignons. Faire revenir l'échalote dans l'huile, puis l'ail et les champignons, et les faire réduire de moitié. Retirer de la casserole et réserver. Faire fondre le beurre, la farine et bien mélanger. Ajouter le bouillon d'un seul coup, la sauce Worcestershire et le poivre, remettre les champignons à l'échalote dans la casserole et laisser épaissir à feu moyen.
- Lorsque les rouleaux sont réchauffés, les servir nappés de sauce aux champignons. Accompagner d'une purée de pommes de terre aux carottes et au rutabaga (voir recette p. 184)

Sauce bolognaise sans viande

Cette sauce est semblable à une sauce à la viande et plusieurs convives ne remarqueront pas la différence. Bien moins calorique pourtant, elle la remplace avantageusement tout en fournissant un bon apport en protéines, en fibres et en vitamines.

Ingrédients (pour quatre ou six)

1 gros oignon, haché finement
2 c. à soupe d'huile d'olive
1 paquet de tofu ordinaire, finement émietté
1 poivron rouge ou jaune, épépiné et coupé en dés
1 carotte, brossée et coupée en dés
1 courgette, lavée et coupée en morceaux
8 oz (227 g) de champignons, émincés
2 gousses d'ail, hachées finement
28 oz (796 ml) de tomates concassées en conserve
5 ½ oz (156 ml) de pâte de tomate
1 c. à café de basilic séché
1 c. à café d'origan séché
2 c. à café de poudre de chili
1 c. à café de piments séchés
1 tasse (250 ml) de jus de légumes
2 feuilles de laurier
Sel et poivre au goût

Préparation

- Émietter le tofu très finement. Cette opération est importante si vous voulez qu'il passe presque inaperçu et qu'il prenne en cuisant l'apparence de la viande hachée.
- Faire chauffer l'huile, y faire revenir l'oignon sans le colorer.
- Ajouter ensuite le tofu et le faire cuire quelques minutes en continuant de l'émietter à l'aide d'une spatule.
- Ajouter les autres légumes, puis les tomates, la pâte de tomate, les herbes et les épices, et le jus de légumes.
- Saler et poivrer, goûter, rectifier l'assaisonnement au besoin et laisser mijoter à couvert 1 heure.
- Servir sur des pâtes, sur du riz ou sur un plat de légumes cuits.

Spaghettis à l'aubergine et aux shiitakes

Ces spaghettis, garnis d'une sauce, qui réunit une appréciable variété d'aliments guérisseurs, ont des arômes et une saveur qui vous feront oublier qu'elle a été préparée sans viande.

Ingrédients (pour quatre ou six)

2 c. à soupe d'huile d'olive
1 oignon, émincé
1 poivron rouge ou jaune, coupé en dés
2 carottes, brossées et coupées en dés
1 courgette non pelée, coupée en dés
1 branche de céleri, coupée en dés
1 petit panais, coupé en dés
1 aubergine de taille moyenne, non pelée et coupée en dés
8 champignons shiitakes, émincés
2 gousses d'ail, finement hachées
2 boîtes de 28 oz (796 ml) de tomates en conserve
4 c. à soupe de pâte de tomate
1 c. à café de basilic séché
1 c. à café d'origan séché
1 c. à café d'herbes de Provence
1 c. à café de piments séchés
2 feuilles de laurier
Sel et poivre au goût
Spaghettis cuits

Préparation

- Faire revenir l'oignon dans l'huile quelques minutes sans le colorer, puis ajouter poivron, carottes, courgette et céleri.
- Cuire quelques minutes en remuant.
- Ajouter le panais, les aubergines et tous les autres ingrédients, et porter à ébullition.
- Baisser le feu et laisser mijoter à feu doux durant 1 heure.
- Servir cette sauce sur des spaghettis et saupoudrer de parmesan.

Tagliatelles à la sauce aux lentilles

Cette sauce délicieuse et peu calorique convient particulièrement aux personnes qui souhaitent réduire leur taux de cholestérol et diminuer leur consommation de viande.

Ingrédients (pour six)

2 oignons, émincés
2 petites carottes, coupées en cubes
2 branches de céleri, coupées en cubes
2 c. à soupe d'huile d'olive
2 gousses d'ail, hachées finement
1 tasse (250 ml) de lentilles sèches, rincées et égouttées
2 tasses (500 ml) de bouillon de poulet (voir recette p. 165)
½ tasse (125 ml) de vin rouge
½ tasse (125 ml) (plus ou moins) d'eau
3 c. à soupe de pâte de tomate
¾ tasse (180 ml) de sauce tomate
4 oz (120 g) de champignons, hachés
1 c. à café d'origan séché
1 c. à café de basilic séché
Tagliatelles cuites

Préparation

- Dans une grande casserole, faire chauffer l'huile et y faire revenir les oignons sans les colorer. Ajouter les carottes et le céleri, et cuire 3 minutes.
- Ajouter l'ail, les lentilles et le bouillon, puis porter à ébullition.
- Baisser le feu et laisser mijoter 1 heure.
- Incorporer les autres ingrédients, porter à ébullition, baisser le feu et laisser mijoter encore 15 minutes.
- Servir sur des tagliatelles ou d'autres pâtes longues.

Terrine d'orge mondé

Les personnes en convalescence ou souffrant d'anémie apprécieront ce mets digeste et tonifiant.

Ingrédients

⅔ tasse (150 ml) d'orge mondé
¼ tasse (60 ml) de germe de blé
¼ tasse (60 ml) de noix, hachées
⅓ tasse (75 ml) de graines de tournesol
1 petite carotte, râpée
1 petite courgette, râpée
1 oignon moyen, haché finement
1 ½ tasse (375 ml) de gruyère, râpé
1 c. à thé de sel
poivre au goût
1 œuf, légèrement battu
2 c. à soupe de persil frais, haché

Préparation

- Faire cuire l'orge mondé dans 1 3/4 tasse (430 ml) d'eau 1 heure environ.
- Bien égoutter, au besoin. On peut aussi, si on préfère, faire tremper l'orge mondé dans l'eau froide quelques heures et le faire cuire dans son eau de trempage 30 minutes.
- Lorsque l'orge mondé est cuit, laisser tiédir.
- Allumer le four à 350 °F (180 °C).
- Mélanger l'orge et tous les ingrédients dans un grand bol.
- Remplir un moule à pain de 23 cm (9 po) beurré ou huilé en pressant légèrement sur la préparation.
- Cuire au four 40 minutes.
- Laisser refroidir environ 10 minutes.
- Démouler et trancher. Servir nappé d'une sauce aux tomates fraîches (voir recette p. 226).

Les salades composées

Les salades composées, des repas médicamenteux

Les salades préparées avec un éventail de légumes peuvent constituer des repas légers qui auront l'avantage de combiner des aliments très bénéfiques pour nous protéger des maladies et lutter contre des infections virales. Vous pourrez varier leur composition selon les légumes qui vous conviennent le mieux. Consultez la première partie de cet ouvrage pour connaître les combinaisons capables de vous immuniser contre des ennemis potentiels. En vous inspirant des recettes qui suivent, vous pourrez composer des salades qui seront les meilleures pour votre santé.

Recettes de salades composées

Salade à la niçoise

On peut faire un repas de cette salade consistante. Mais en se contentant d'en supprimer le thon, on peut aussi la servir en entrée et lui conserver toutes ses qualités protectrices.

Ingrédients (pour quatre)

3 tasses (750 ml) de feuilles de laitue mélangées, lavées et essorées
1 tasse (250 ml) de haricots verts, cuits *al dente* et coupés en deux
2 tomates mûres, épépinées et concassées
12 olives noires, dénoyautées et coupées en morceaux
1 petite boîte de thon au naturel, déchiqueté

Vinaigrette

4 c. à soupe d'huile d'olive
2 c. à soupe de jus de citron
1 c. à soupe de vinaigre balsamique
1 petite gousse d'ail, hachée finement
Feuilles de basilic fraîches, ciselées
Sel et poivre au goût

Préparation

- Dans un grand saladier, mettre les laitues, les haricots, les tomates, les olives et le thon déchiqueté, et bien mélanger.
- Dans un petit bol, battre les ingrédients de la vinaigrette à l'aide d'un fouet.
- Incorporer cette vinaigrette émulsionnée dans le saladier.
- Goûter, assaisonner au besoin, mélanger encore et servir.

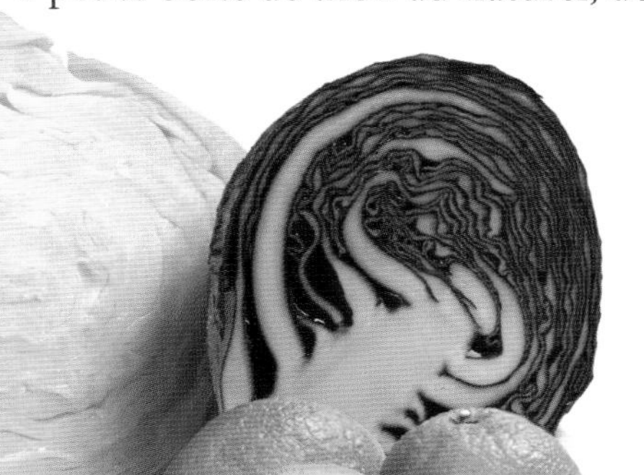

Salade de chou aux clémentines, aux épinards et aux graines de sésame

Cette salade tonifiante, anti-fatigue et anti-tension, est délicieuse en toute saison.

Ingrédients (pour quatre)

Un petit chou, coupé en lanières de 2 cm
4 clémentines, pelées et coupées en tranches fines
Une vingtaines de feuilles d'épinards, lavées et essorées
4 c. à soupe d'huile de pépins de raisin
4 c. à soupe d'huile de noix
2 c. à soupe de jus de citron
Le zeste de 1 citron
Une poignée de graines de sésame, grillées
Sel et poivre au goût

Préparation

- Rassembler dans un grand saladier les lanières de chou, les tranches de clémentines et les feuilles d'épinards.
- Mélanger les ingrédients de la vinaigrette, huiles, jus et zeste de citron, et verser dans le saladier.
- Réfrigérer* au moins 30 minutes.
- Au moment de servir, ajouter les graines de sésame grillées et les assaisonnements, et mélanger de nouveau.

* Le chou est plus digeste lorsqu'on prend le temps de le réfrigérer une trentaine de minutes dans sa vinaigrette.

Salade de cœurs d'artichaut aux pommes et à l'avocat

Cette salade fine et nourrissante réunit des aliments remplis de nutriments et parfaitement harmonieux. Elle compose une entrée substantielle et digeste avant un repas léger.

Ingrédients (pour deux)

¼ tasse (60 ml) d'huile de pépins de raisin
3 c. à soupe de jus de citron et le zeste de ½ citron
1 gousse d'ail, hachée finement
2 c. à soupe de feuilles de coriandre fraîches, ciselées
Sel et poivre au goût
1 tasse (250 ml) de lanières de chou de 1 po (2,5 cm)
4 cœurs d'artichaut en conserve, coupés en quatre
1 avocat bien mûr, détaillé en bouchées
2 pommes empire, coupées en cubes

Préparation

- Préparer d'abord la vinaigrette en combinant l'huile, la moitié du jus de citron, le zeste, l'ail, les feuilles de coriandre et les assaisonnements.
- Dans un saladier, déposer le chou, arroser de la vinaigrette et réfrigérer* au moins 30 minutes.
- Au moment de servir, ajouter les artichauts, les bouchées d'avocat et les pommes arrosées de jus de citron.
- Mélanger de nouveau et servir.

* Le chou est plus digeste lorsqu'on prend le temps de le réfrigérer une trentaine de minutes dans sa vinaigrette.

Salade de couscous au persil (taboulé)

Ce hors-d'œuvre libanais est une délicieuse manière de consommer les vitamines et les minéraux que renferme le persil, cet anti-anémique reconnu.

Ingrédients (pour deux ou quatre)

2 tasses (500 ml) de persil bien tassé, ses feuilles et ses tiges émincées finement
1 tasse (250 ml) de couscous ou de quinoa, cuit (suivre les directives* sur le paquet)
2 petites échalotes sèches, hachées finement
2 tomates moyennes, épépinées et concassées
4 à 6 c. à soupe d'huile d'olive
2 c. à thé de jus de citron
2 ou 3 feuilles de menthe, émincées finement

Préparation

- Dans un saladier, mélanger tous les ingrédients et laisser reposer 1 heure avant de servir pour permettre aux saveurs de bien se développer.

* La plupart des semoules précuites se préparent de la façon suivante. Faire bouillir une part d'eau et y plonger une part égale de couscous. Porter à ébullition et retirer du feu. Laisser reposer 3 minutes, ajouter 1 c. à soupe d'huile d'olive et bien détacher les grains à l'aide d'une fourchette en tournant sur feu doux environ 2 minutes.

Salade de fenouil à l'orange

Cette salade dans laquelle se mêlent des parfums d'anis, d'orange et de coriandre constitue une entrée rafraîchissante et apéritive avant un repas de viande.

Ingrédients (pour quatre)

2 tasses (500 ml) de laitues mélangées
1 bulbe de fenouil, tranché en fine lamelles
Le zeste et le jus de 1 orange
2 oranges (ou 4 clémentines), pelées et coupées en tranches fines
1 petit oignon doux, haché, ou 2 échalotes, émincées finement
2 c. à soupe de feuilles de coriandre fraîches, hachées
1 c. à soupe de graines de sésame

Vinaigrette

2 c. à soupe d'huile de noix
2 c. à soupe d'huile de pépins de raisin
1 c. à soupe de vinaigre balsamique
Sel et poivre au goût

Préparation

- Dans un bol, déposer les lamelles de fenouil et arroser du jus et du zeste d'orange. Ajouter les tranches d'orange et d'oignon, et réfrigérer 1 heure.
- Dans un petit bol, rassembler les ingrédients de la vinaigrette et battre au fouet.
- Laisser reposer.
- L'heure écoulée, mettre les feuilles de laitue dans un saladier, y disposer le mélange réfrigéré des bulbes de fenouil, des tranches d'orange et d'oignon, et bien mélanger.
- Arroser de la vinaigrette, mélanger de nouveau, agrémenter des feuilles de coriandre et des graines de sésame, et servir.

Salade de pâtes potagère

Ce repas léger, qui peut très bien se préparer avec un reste de pâtes, compose un mariage parfaitement vertueux en réunissant tomates et épinards, fromage et vinaigre de cidre.

Ingrédients (pour quatre)

3 tasses (750 ml) de pâtes courtes (fusillis, macaronis, coquillettes ou autres), cuites
2 tomates, épépinées et concassées
¼ tasse (60 ml) d'épinards, cuits et hachés
¼ tasse (60 ml) de fromage feta*
¼ tasse (60 ml) d'olives noires, dénoyautées et hachées

* On peut bien sûr choisir un fromage moins gras, chèvre ou cottage.

Vinaigrette

4 c. à soupe d'huile d'olive
2 c. à soupe de vinaigre de cidre
2 c. à soupe de feuilles de basilic fraîches, hachées
Sel et poivre au goût (attention! le feta et les olives contiennent beaucoup de sel)

Préparation

- Dans un petit bol, placer tous les ingrédients de la vinaigrette et émulsionner.
- Dans un saladier, réunir tous les ingrédients, bien mélanger, arroser de la vinaigrette et mélanger de nouveau.

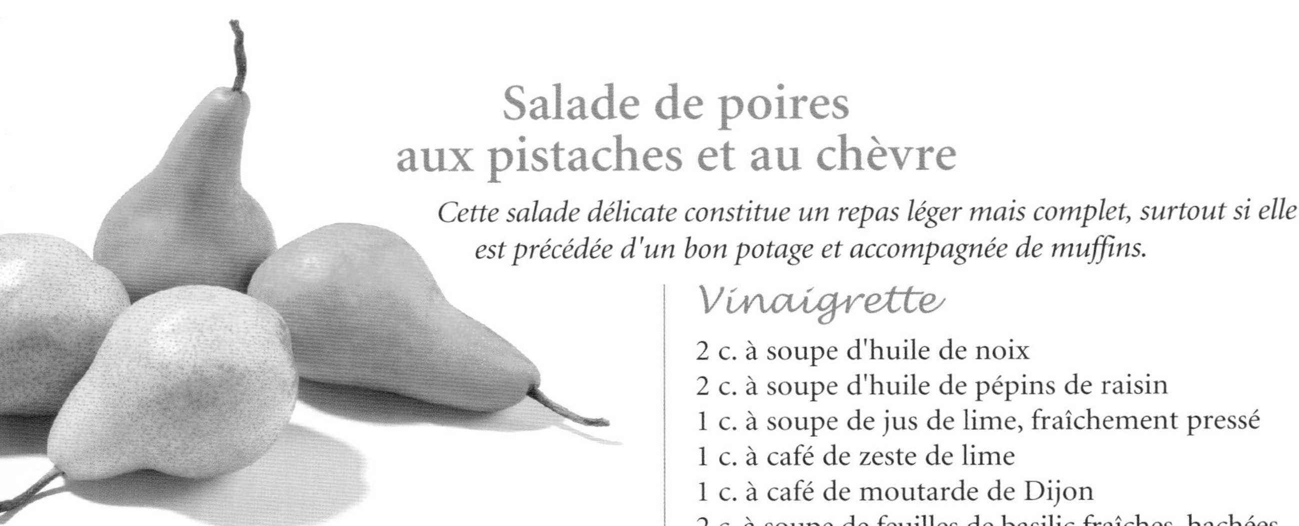

Salade de poires aux pistaches et au chèvre

Cette salade délicate constitue un repas léger mais complet, surtout si elle est précédée d'un bon potage et accompagnée de muffins.

Ingrédients (pour deux ou quatre)

2 tasses (500 ml) de feuilles de laitue mélangées, lavées et essorées
2 poires bien mûres, pelées, détaillées en cubes et arrosées de jus de lime
¼ tasse (60 ml) de pistaches, hachées grossièrement
¼ tasse (60 ml) de fromage de chèvre, en dés

Variante

Remplacez la salade par des lamelles de chou cru et le fromage de chèvre par du fromage feta.

Vinaigrette

2 c. à soupe d'huile de noix
2 c. à soupe d'huile de pépins de raisin
1 c. à soupe de jus de lime, fraîchement pressé
1 c. à café de zeste de lime
1 c. à café de moutarde de Dijon
2 c. à soupe de feuilles de basilic fraîches, hachées
Sel et poivre au goût

Préparation

- Disposer les feuilles de laitue dans un saladier.
- Ajouter les cubes de poires arrosés de jus de lime, puis les pistaches et les dés de fromage, et bien mélanger.
- Dans un petit bol, préparer la vinaigrette en battant les huiles, les jus et zeste de lime, la moutarde et le basilic à l'aide d'un petit fouet.
- Assaisonner au goût la vinaigrette, en napper la salade et bien mélanger.

Salade grecque

Cette salade, très populaire dans tout le bassin méditerranéen, réunit les ingrédients miracle du fameux régime crétois réputé assurer une remarquable longévité.

Ingrédients (pour deux ou quatre)

1 petit oignon rouge, émincé
1 concombre, épépiné et coupé en dés
2 grosses tomates, épépinées et coupées en dés
8 ou 10 olives noires, dénoyautées et émincées
¾ tasse (180 ml) de fromage feta, coupé en dés
3 c. à soupe d'huile d'olive
1 c. à soupe de vinaigre de cidre
½ c. à café d'origan séché
Sel et poivre au goût

Préparation

- Dans un saladier, réunir les dés de légumes, de tomates et de fromage.
- Dans un petit bol, battre les ingrédients de la vinaigrette, huile, vinaigre, origan et assaisonnements.
- Ajouter aux légumes et au fromage, et bien mélanger.

Les sauces et les trempettes

Les sauces et les trempettes, des révélateurs de goût

Que seraient les fondues à la viande sans leurs sauces ? Si le secret d'un potage repose presque toujours sur la qualité du bouillon qui l'enrichit, le bon goût d'une salade se révèle souvent grâce à la sauce qui la nappe. Une combinaison de deux ou trois légumes peut varier selon qu'on en réveille les saveurs avec une vinaigrette à l'ail, une mayonnaise citronnée ou un nuage de sauce crémeuse au cari. Les sauces, les vinaigrettes et les trempettes s'opposent à la monotonie et à la routine, ce sont des agentes de bon goût.

Recettes de sauces et de trempettes

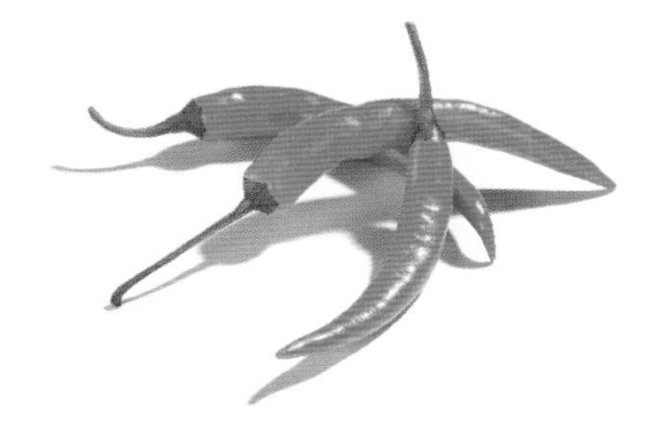

Aïoli

Voici une manière simple et agréable de consommer de l'ail cru et de profiter de tous ses bienfaits. On peut en varier les saveurs en y ajoutant diverses herbes fraîches, par exemple du basilic, du persil ou de la coriandre.

Ingrédients (deux portions)

3 gousses d'ail
¼ tasse (60 ml) d'huile d'olive
Un peu de sel
1 c. à thé d'eau tiède
1 c. à soupe de jus de citron
1 jaune d'œuf

Préparation

- Dans un mortier, piler finement les gousses d'ail à l'aide d'un pilon, ou les hacher finement à l'aide d'un couteau bien aiguisé ou d'un presse-ail.
- Incorporer l'huile d'olive en tournant dans le même sens, puis ajouter le sel, l'eau et le jus de citron, sans cesser de tourner.
- Ajouter ensuite le jaune d'œuf en continuant de tourner.
- Servir avec des légumes crus.

Harissa (sauce aux piments)

Cette sauce piquante d'origine maghrébine, qu'on doit utiliser en très petites quantités, agit contre les douleurs articulaires en stimulant la production d'endorphines.

Ingrédients

5 petits piments rouges frais (ou séchés, trempés 1 heure dans l'eau chaude)
2 gousses d'ail, hachées finement
2 c. à café de graines de coriandre
2 c. à café de graines de cumin
2 c. à café de graines de carvi
1 pincée de sel
½ tasse (125 ml) d'huile d'olive

Préparation

- Épépiner les piments frais ou égoutter et assécher les piments séchés, et les mettre dans un petit robot culinaire.
- Ajouter l'ail et les épices et mixer à haute vitesse.
- Ajouter l'huile en filet, comme pour une mayonnaise, en continuant d'actionner l'appareil.
- Transvaser dans un petit pot en verre, ajouter un peu d'huile sur le dessus et refermer.
  Se conserve au moins 6 semaines au réfrigérateur.

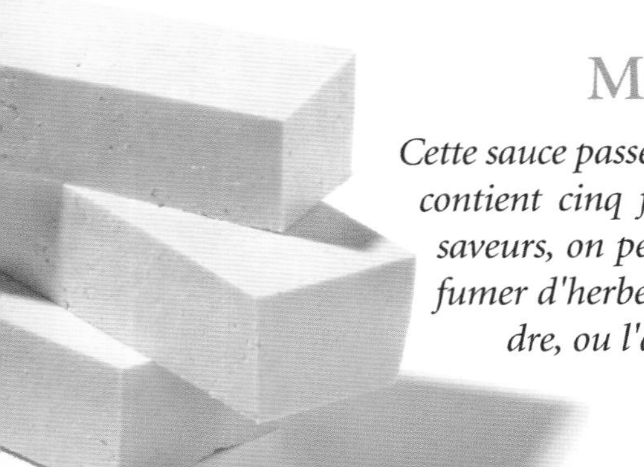

Mayonnaise au tofu

Cette sauce passe-partout dont la consistance est semblable à celle de la mayonnaise contient cinq fois moins de gras que la vraie mayonnaise. Pour en varier les saveurs, on peut lui ajouter de la pâte de cari ou de la sauce mexicaine, la parfumer d'herbes comme du basilic, de l'estragon, de la ciboulette ou de la coriandre, ou l'additionner de yogourt et en faire une trempette.

Ingrédients

½ paquet (175 g) de tofu soyeux, extra ferme
2 c. à soupe de jus de citron
2 c. à soupe d'huile d'olive
2 c. à café de moutarde de Dijon
1 c. à café de miel
Quelques gouttes de sauce Tabasco
Herbes et poivre au goût

Préparation

- Dans un robot culinaire, mélanger tous les ingrédients.
- Assaisonner au goût et réfrigérer.

Note

Le tofu étant un aliment sans goût, la saveur de cette mayonnaise doit beaucoup à la qualité de l'huile qu'on utilise.

Mayonnaise légère sans œufs

Bien sûr, cette sauce n'a pas le goût de la vraie mayonnaise. Mais sa consistance et son apparence s'en rapprochent, et lorsqu'on prend soin de lui ajouter des condiments ou des herbes, elle est savoureuse.

Ingrédients

3 c. à soupe (45 ml) de lait concentré non sucré, refroidi quelques heures au frigo
⅜ tasse (95 ml) d'huile d'olive
1 c. à café de moutarde
Jus de ½ citron
3 c. à soupe (45 ml) d'huile d'olive

Préparation

- Battre le lait et ⅜ de tasse d'huile d'olive pour obtenir une préparation lisse.
- Ajouter le jus de citron et les 3 c. à soupe d'huile d'olive, et battre de nouveau. Cette fois, la consistance devrait être beaucoup plus épaisse.
- Ajouter des condiments au goût, ail, herbes, épices ou cari.

Sauce au yogourt, au concombre et à l'ail

Cette sauce fine et parfumée fait une trempette légère et digeste qui accompagne bien les grillades de viande et de poisson. En Grèce où elle porte le nom de «tzatziki», on la sert en hors-d'œuvre avec du pain sans levain.

1 tasse (250 ml) de yogourt nature
1 petit concombre libanais ou la moitié d'un concombre sans pépins, haché
2 gousses d'ail, hachées finement
½ c. à café d'aneth frais, haché
1 c. à soupe (15 ml) d'huile d'olive
Sel et poivre au goût

Préparation

- Dans un tamis posé au-dessus d'un bol, placer une mousseline ou 2 couches de coton à fromage. Déposer le yogourt dans cette passoire et laisser égoutter quelques heures au réfrigérateur (au moins 1 heure ou toute la nuit, si vous le pouvez).
- Placer aussi le concombre haché dans une passoire garnie d'une mousseline et laisser dégorger 1 heure.
- Presser pour en extraire le liquide et verser le hachis dans un saladier.
- Ajouter le yogourt, l'ail, l'aneth et l'huile d'olive.
- Bien mélanger.
- Saler et poivrer au goût.
- Recouvrir d'une pellicule plastique et réfrigérer au moins 2 heures avant de servir.

Sauce aux canneberges, à l'orange et au gingembre

Cette sauce, remplie du pouvoir antioxydant des canneberges, est délicieuse avec la dinde, le poulet ou le canard rôti.

Ingrédients

¾ lb (375 g) de canneberges fraîches
1 tasse (250 ml) de jus d'orange frais
½ tasse (125 ml) de cassonade
1 c. à soupe (15 ml) de gingembre, râpé
½ c. à café (1 ml) de zeste de citron

Préparation

- Dans une casserole, mélanger les canneberges, le jus d'orange, la cassonade, le gingembre et le zeste.
- Porter à ébullition, baisser le feu et laisser mijoter 15 minutes en remuant de temps à autre jusqu'à ce que les canneberges éclatent et que le mélange épaississe. Cette sauce se conserve au moins 1 semaine au réfrigérateur.

Sauce aux tomates fraîches

(cuisson au micro-ondes)

D'une remarquable simplicité, cette sauce, qui conserve toutes les vertus de la tomate et de l'ail frais, est délicieuse sur des pâtes.

Ingrédients (pour deux)

2 c. à soupe d'huile d'olive
2 échalotes sèches, émincées finement
1 gousse d'ail, hachée finement
4 tomates bien mûres, épépinées et concassées
¼ tasse (60 ml) de feuilles de basilic, hachées finement, ou, à défaut, de persil, haché
Sel et poivre au goût

Préparation

- Déposer l'huile, l'échalote et l'ail dans un plat allant au micro-ondes et cuire 1 minute à puissance élevée.
- Ajouter les tomates et cuire 5 minutes à puissance élevée.
- Ajouter le basilic et assaisonner, et cuire 1 autre minute.
- Laisser reposer 3 minutes avant de servir.

Trempette au yogourt, au cari et à l'ananas

Les saveurs fines de l'ananas et du gingembre qui entrent dans la composition de cette trempette peu calorique et apéritive se marient harmonieusement au parfum de la coriandre.

Ingrédients

Un petit pot (150 g ou 175 g) de yogourt nature
1 tranche d'ananas, hachée
2 c. à soupe de graines de sésame
1 c. à café de gingembre, râpé
½ c. à café de cari en poudre
2 bouquets de feuilles de coriandre fraîche, ciselées
Sel et poivre au goût

Préparation

- Mélanger tous les ingrédients au fouet.

Telle quelle, cette trempette fait une excellente vinaigrette savoureuse sur des lanières de chou cru.
On peut lui donner une consistance plus ferme en lui adjoignant 1 c. à soupe de mayonnaise ou de fromage à la crème.

Vinaigre aux bleuets

Ingrédients

¾ tasse (180 ml) de bleuets frais
Vinaigre de cidre bouilli pour couvrir

Préparation

- Écraser les bleuets et les mettre dans un bocal de 1 tasse (250 ml). Remplir le bocal de vinaigre de cidre, boucher et laisser les bleuets macérer 1 semaine au frais en remuant le bocal tous les jours. Au bout d'une semaine, passer le vinaigre au tamis à deux reprises. Verser dans une bouteille. Ce vinaigre se conserve au moins 1 an.

Vinaigrette aux mille vertus

Cette vinaigrette est composée d'aliments qui comptent parmi les plus bénéfiques pour la santé. Si vous l'utilisez pour arroser des lanières de chou cru, de fins bouquets de brocoli ou des feuilles d'épinards croquants, vous obtiendrez une des entrées les plus saines qui soient.

Ingrédients

¼ tasse (60 ml) d'huile d'olive
2 c. à soupe de vinaigre de cidre
1 c. à café de miel
2 c. à soupe de persil frais, haché (bouquets et tiges)
2 c. à soupe de feuilles de coriandre fraîche, hachées
1 gousse d'ail, hachée finement
1 petite échalote sèche, hachée
½ c. à café de gingembre, râpé ou broyé
1 pincée de poivre de Cayenne
Sel et poivre au goût

Préparation

- Mettre tous les ingrédients dans un mélangeur ou un shaker, et mixer 1 minute.
- Napper de cette vinaigrette des feuilles de laitue de votre choix, mâche, roquette, épinards, boston ou autre.

Les desserts

Les desserts

Pour une majorité de gens, un repas ne saurait être complet sans dessert. Ceux qui vous sont proposés ici confirment la règle des trois S, ils sont simples à préparer, sains et savoureux. Et ne croyez pas que c'est un hasard si la plupart sont composés de fruits, ces cadeaux de la nature, ces médicaments remplis de sucres naturels et de vitamines.

Recettes de desserts

Bananes à la cannelle et au rhum

Voici un riche dessert express qu'on aura intérêt à servir après un repas léger. Mais si on remplace le rhum par de l'essence de rhum et qu'on l'arrose de yogourt au lieu de crème, il sera bien moins calorique.

Ingrédients (pour quatre)

4 bananes mûres, coupées en deux et tranchées sur leur longueur
2 c. à soupe de beurre clarifié
1 c. à café de cannelle moulue
5 c. à soupe de rhum ou d'essence de rhum
3 c. à soupe de miel
3 c. à soupe de pacanes, dorées au four et hachées grossièrement

Préparation

- Dans un poêlon, faire revenir les bananes dans le beurre clarifié quelques minutes, les retirer et les garder au chaud.
- Verser le rhum dans la poêle, y ajouter la cannelle et le miel, et laisser frémir en remuant jusqu'à ce que la sauce épaississe légèrement.
- Faire dorer les pacanes 5 minutes dans un four à 350 °F (180 °C).
- Ajouter les noix et verser cette sauce sur les bananes.
- Servir avec de la crème fraîche ou du yogourt.

Carrés aux bleuets

Ces carrés font de savoureuses collations. Ils contribuent à protéger la vue et à lutter contre le mauvais cholestérol.

Ingrédients (pour huit)

½ tasse (125 ml) de noix hachées (pacanes ou de Grenoble)
½ tasse (125 ml) de miel
2 tasses (500 ml) de farine de blé entier
½ tasse (125 ml) de margarine non hydrogénée
2 tasses (500 ml) de bleuets
2 œufs
½ c. à thé de sel
1 ½ c. à thé de cannelle moulue
6 c. à soupe de germe de blé
1 c. à thé de bicarbonate de soude
1 c. à soupe de vinaigre de cidre
1 tasse (250 ml) de lait concentré non sucré

Préparation

- Allumer le four à 325 °F (160 °C).
- Étaler les noix hachées dans le fond d'un moule beurré de 9 x 13 po (22 x 32 cm).
- Dans un bol, mélanger le miel, la farine et le beurre.
- Verser deux tasses (500 ml) du mélange sur les noix en répartissant également.
- Verser les bleuets.
- Dans un bol, battre les œufs avec la cannelle, le germe de blé, le bicarbonate de soude, le vinaigre, le lait concentré et le reste du mélange de farine. Verser sur les bleuets.
- Cuire 35 minutes environ.
- Laisser refroidir avant de découper en carrés.

Coulis de canneberges et de fraises

Cette sauce aux fruits est recommandée aux personnes qui souffrent fréquemment d'infections urinaires.

Ingrédients (pour six)

⅔ tasse (150 ml) d'eau
¾ tasse (180 ml) de sucre
1 tasse (250 ml) de fraises
1 tasse (250 ml) de canneberges fraîches
2 c. à soupe de jus de canneberge
2 c. à soupe de fécule de maïs
2 c. à soupe d'eau froide

Préparation

- Amener à ébullition l'eau et le sucre dans une casserole.
- Ajouter les fruits et le jus de canneberge, et laisser mijoter doucement environ 5 minutes.
- Diluer la fécule dans l'eau et verser sur la préparation aux fruits.
- Porter lentement à ébullition en remuant continuellement et laisser cuire 1 minute sans cesser de remuer.
- Laisser tiédir et passer au mélangeur.
- Servir sur du yogourt glacé.

Coupe de fruits à la crème de mangue

Ce savoureux dessert, gorgé de vitamines A et C, fait les délices des jeunes et favorise leur croissance.

Ingrédients (pour quatre)

2 kiwis, pelés et tranchés
1 tasse (250 ml) de framboises
2 c. à soupe de jus d'orange et le zeste de 1 orange
1 banane mûre, tranchée
1 mangue bien mûre, pelée, dénoyautée et coupée en morceaux
½ tasse (125 ml) de crème 35 %
Feuilles de menthe, pour décorer

Préparation

- Dans quatre ramequins ou coupes à fruits, disposer les bananes, les kiwis et les framboises. Arroser du jus et du zeste d'orange, et réfrigérer 30 minutes.
- Pendant ce temps, faire une purée au mélangeur avec la mangue.
- Battre la crème au malaxeur jusqu'à ce qu'elle fasse des pics.
- Incorporer la purée de mangue à la crème.
- Enrober chaque coupe de fruits de cette crème, décorer de feuilles de menthe et servir bien frais.

Crème caramel au lait de coco

Variante de la classique crème caramel, cette onctueuse crème au coco est un dessert que vous aimerez servir en réception.

Ingrédients (pour six)

¾ tasse (180 ml) de sucre
¾ tasse (180 ml) d'eau
4 œufs
¼ tasse (60 ml) de sucre supplémentaire
1 c. à thé d'essence de vanille
1 boîte de 400 ml de lait de coco (on peut le faire soi-même, voir recette p. 247)
⅓ tasse (75 ml) de lait

Préparation

- Allumer le four à 325 °F (160 °C).
- Dans une casserole, chauffer le sucre et l'eau en remuant jusqu'à ce que le sucre soit dissous.
- Porter à ébullition et laisser mijoter à découvert sans remuer jusqu'à ce que la préparation ait pris la couleur du caramel.
- Verser cette sauce dans six ramequins pouvant contenir ½ tasse (125 ml) chacun.
- Dans un bol, fouetter les œufs, le sucre supplémentaire et l'essence de vanille au fouet, jusqu'à l'obtention d'un bon mélange.
- Dans une casserole, chauffer le lait de coco et le lait jusqu'au point d'ébullition, mais sans laisser bouillir.
- Ajouter en fouettant bien au mélange d'œufs.
- Répartir dans les ramequins et déposer ceux-ci dans un plat allant au four dans lequel vous aurez versé de l'eau bouillante à un niveau qui devrait atteindre le milieu des ramequins.
- Cuire environ 40 minutes au four, jusqu'à ce que les crèmes soient fermes au toucher.
- Laisser tiédir les ramequins à la température ambiante.
- Couvrir et réfrigérer.
- Démouler sur une assiette juste au moment de servir.

Fruits au cari

Ce mélange parfumé se révèle un délicieux dessert et, nappé de yogourt ferme, il constitue un savoureux petit-déjeuner.

Ingrédients (pour quatre)

⅓ tasse (75 ml) de cassonade
1 c. à thé de gingembre moulu
1 c. à thé de cannelle moulue
½ c. à thé de poudre de cari
¼ c. à thé de muscade râpée
¼ c. à thé de cardamome moulue
¼ c. à thé de coriandre moulue
¼ tasse (60 ml) de jus d'orange
¼ tasse (60 ml) de rhum ou d'essence de rhum
2 c. à soupe de jus de citron
2 pommes, dénoyautées et coupées en cubes
2 pêches, dénoyautées et coupées en cubes
2 poires, dénoyautées et coupées en cubes
1 tasse (250 ml) de fraises ou de framboises
1 banane, coupée en tranches

Préparation

- Dans un grand poêlon, mélanger le sucre, le gingembre, la cannelle, la poudre de cari, la muscade, la cardamome, la coriandre et le jus d'orange. Cuire quelques minutes jusqu'à ce que le sucre soit fondu et qu'il devienne sirupeux.
- Verser le jus de citron et le rhum, et porter à ébullition.
- Mettre les morceaux de pommes, de pêches et de poires dans ce sirop, et cuire quelques minutes jusqu'à ce que les fruits soient tendres.
- Ajouter les fraises ou les framboises, les bananes, réchauffer et servir.

Gâteau à la courgette au cacao

Grâce à la présence de la courgette, ce gâteau est moelleux sans être riche et compose un dessert succulent sans être lourd.

Ingrédients

3 oz (90 g) de cacao
1 tasse (250 ml) de farine de blé
½ tasse (125 ml) de farine de sarrasin
¼ c. à thé de levure chimique
½ c. à thé de bicarbonate de soude
½ c. à thé de sel
2 œufs
1 tasse (250 ml) de sucre
¾ tasse (180 ml) d'huile de pépins de raisin
Le zeste de 1 orange
1 ½ tasse (375 ml) de courgettes, râpées
(2 courgettes moyennes)
½ tasse (125 ml) de noix, hachées

Préparation

- Allumer le four à 350 °F (180 °C).
- Dans un grand bol, tamiser les ingrédients secs, cacao, farine de blé et de sarrasin, levure chimique, bicarbonate et sel.
- Dans un autre bol, battre les œufs, y incorporer le sucre et battre de nouveau. Ajouter l'huile de pépins de raisin, puis les courgettes et le zeste d'orange.
- Incorporer à cette préparation, à la cuiller, le mélange d'ingrédients secs en mélangeant bien après chaque addition. Incorporer les noix et mélanger de nouveau.
- Verser dans un moule à pain beurré ou huilé que vous aurez recouvert d'un papier sulfurisé.
- Cuire au four 1 h 15 ou jusqu'à ce qu'un cure-dents enfoncé dans la pâte en ressorte propre et sec.
- Recouvrir d'une glace au chocolat.

Glace au chocolat sans crème

Ingrédients

2 oz (60 g) de chocolat mi-amer
2 c. à soupe de margarine non hydrogénée ou de beurre
1 c. à soupe de miel

Préparation

- Dans un plat placé au-dessus d'un chaudron d'eau bouillante, faire fondre doucement le chocolat et la margarine. Ajouter le miel et laisser refroidir avant d'en napper le gâteau.

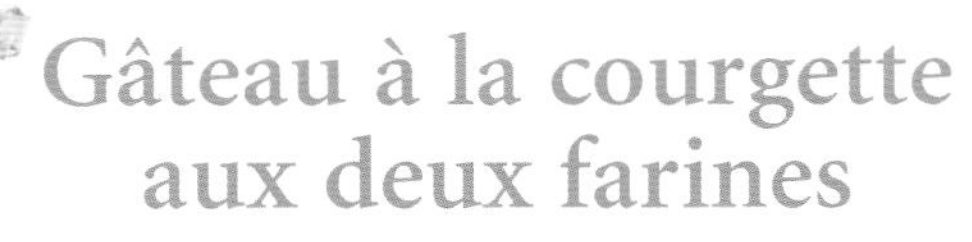

Gâteau à la courgette aux deux farines

Ce proche parent du gâteau à la carotte est aussi savoureux qu'onctueux et profite des vertus du sarrasin, un aliment qui améliore la circulation sanguine et réduit l'hypertension.

Ingrédients

2 courgettes moyennes, râpées
2 œufs, battus
¾ tasse (180 ml) de sucre
½ tasse (125 ml) d'huile de pépins de raisin
¾ tasse (175 ml) de farine de blé entier
½ tasse (125 ml) de farine de sarrasin
¾ c. à thé de levure chimique
½ c. à café de bicarbonate de soude
¾ c. à café de cannelle
½ c. à café de muscade
½ c. à café de sel
Le zeste de 1 orange
½ tasse (125 ml) de pacanes, hachées

Préparation

- Allumer le four à 350 °F (180 °C).
- Chemiser de papier ciré un moule à pain beurré, et le huiler légèrement.
- Dans un bol, battre les œufs, le sucre, les courgettes et l'huile.
- Dans un autre bol, tamiser les ingrédients secs, sauf les pacanes.
- Petit à petit, incorporer ce mélange sec à la préparation de courgettes.
- Ajouter les pacanes et bien mélanger.
- À la cuiller, transférer la pâte dans le moule.
- Enfourner et faire cuire de 1 h à 1 h 15 ou jusqu'à ce qu'un cure-dents inséré dans le gâteau en ressorte propre et sec.
- Laisser refroidir avant de démouler.
- Conserver au réfrigérateur jusqu'au moment de glaçer le gâteau.

Glace à l'orange

Ingrédients

1 ⅓ tasse de sucre à glacer
4 c. à soupe de margarine non hydrogénée
Zeste de 1 orange
1 c. à soupe de jus d'orange ou un peu plus

Préparation

- Bien mêler le sucre et la margarine.
- Ajouter le zeste, puis, par petites quantités, le jus d'orange en battant bien à chaque addition.

Pommes au four

Servies après le repas, ces pommes sont délicieuses, mais elles sont tout aussi savoureuses pour accompagner des grillades de porc ou de poulet.

Ingrédients (pour quatre)

4 pommes à cuire, lavées et évidées
2 c. à soupe de margarine non hydrogénée
4 c. à soupe de cassonade ou de sucre brut
4 c. à soupe de flocons d'avoine ou de flocons d'épeautre
Le zeste râpé et le jus de ½ orange
1 c. à café de cannelle moulue
¼ tasse (60 ml) de noix, hachées (pacanes, noisettes)

Préparation

- Allumer le four à 375 °F (190 °C).
- Dans un plat beurré, déposer les pommes qui auront été débarrassées de leur cœur avec un vide-pomme ou un petit couteau, et enlever quelques bandes de pelure à l'aide d'un pèle-légumes.
- Mélanger la margarine avec la cassonade, le zeste et le jus d'orange, les flocons, la cannelle et les noix hachées.
- Farcir les pommes de ce mélange.
- Cuire 30 minutes ou jusqu'à ce que les pommes soient tendres.

Sauce tiède aux figues et aux fruits secs

Dessert d'hiver par excellence, cette sauce fournit quantité de fibres et d'énergie, et protège contre les maladies cardiovasculaires.

Ingrédients

¾ tasse (180 ml) de figues séchées
1 tasse (250 ml) d'abricots secs
½ tasse (125 ml) de raisins secs
¼ tasse (60 ml) de pommes sèches
¼ tasse (60 ml) de cassonade tassée
½ tasse (125 ml) d'amandes, hachées
¼ tasse (60 ml) de beurre fondu ou de margarine non hydrogénée
⅛ tasse (30 ml) de rhum brun
1 c. à thé de zeste de citron râpé
1 c. à thé de jus de citron
1 c. à café de cannelle

Préparation

- Dans une casserole, couvrir d'eau les figues, les abricots, les pruneaux, les raisins et les pommes.
- Porter à ébullition à feu moyen et laisser mijoter à couvert 15 minutes.
- Égoutter les fruits, les laisser refroidir et les hacher.
- Remettre les fruits dans la casserole et y ajouter les autres ingrédients.
- Porter à ébullition à feu moyen et laisser mijoter à couvert encore 5 minutes.
- Servir sur du yogourt glacé.

Boissons et recettes complémentaires

Les boissons

À l'aide d'un bon extracteur de jus, on peut préparer une infinité de jus de fruits et de légumes qui permettent de faire le plein de leurs vertus curatives. Voici des boissons qui ne requièrent pas d'appareil, mais qui possèdent des qualités désaltérantes et protectrices.

Boissons et recettes complémentaires

Bière de gingembre

Les boissons au gingembre vendues à l'épicerie, en plus d'être très sucrées et additionnées de colorants, ne conservent aucune des extraordinaires vertus du gingembre. Voici une recette impossible à rater d'une boisson rafraîchissante et curative.

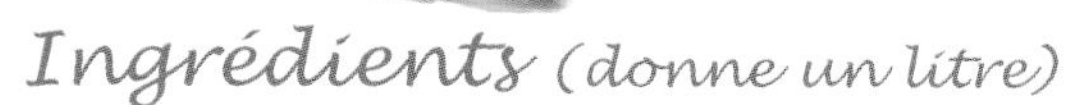

¾ tasse (180 ml) de racines de gingembre, pelées et coupées grossièrement en morceaux de ½ po (1 cm)
4 tasses (1 litre) d'eau
2 c. à soupe de miel

Préparation

- Dans une casserole, porter l'eau à ébullition et y plonger les morceaux de gingembre.
- Couvrir la casserole, baisser le feu et laisser mijoter 30 minutes.
- Filtrer, ajouter le miel, laisser tiédir et réfrigérer.
- Pour servir froid, ajouter une part de boisson au gingembre à trois parts d'eau minérale gazéifiée.

Boisson d'été aux quatre kiwis

Voici une délectable boisson d'été remplie de vitamine C.

Ingrédients (pour quatre)

4 kiwis
4 glaçons
5 oz (155 ml) de jus d'ananas

Préparation

- Mixer tous les ingrédients au mélangeur et servir avec des rondelles d'orange ou de citron.

Cidre chaud à la cannelle

Cette boisson toute simple, qu'on aimera servir l'hiver en guise d'apéritif, réconforte et apaise.

Ingrédients

2 tasses (500 ml) de cidre
3 bâtons de cannelle

Préparation

- Verser le cidre dans une casserole, y déposer les bâtons de cannelle et faire chauffer doucement.

Limonade pétillante

Cette boisson au pouvoir rafraîchissant incomparable possède des vertus antioxydantes et constitue un apport appréciable de vitamine C.

Ingrédients (pour quatre)

1 limette
2 citrons
3 clémentines
4 c. à soupe de miel
3 tasses d'eau minérale gazéifiée
Rondelles de fruits et feuilles de menthe pour garnir.

Préparation

- Presser les fruits pour obtenir environ 1 tasse de liquide. Au besoin, ajouter 1 ou 2 fruits de votre choix.
- Filtrer le jus et verser dans un pot de verre. Ajouter le miel, bien agiter et faire refroidir au réfrigérateur.
- Verser l'eau minérale et servir dans des verres décorés de rondelles de fruits et de feuilles de menthe.

Thé vert à la menthe et au gingembre

Cette infusion aux arômes raffinés facilite la digestion et procure un sentiment d'apaisement.

Ingrédients

1-2 c. à thé de feuilles de thé vert
1-2 c. à thé de feuilles de menthe verte
1 morceau de gingembre, pelé
2 tasses (500 ml) d'eau bouillante

Préparation

- Faire bouillir l'eau et pendant ce temps réchauffer la théière.
- Y déposer les feuilles de thé et de menthe, et le gingembre.
- Verser l'eau bouillante sur les feuilles et le gingembre, et laisser infuser 5 minutes.

Comment faire du lait de coco

Ingrédients

1 ½ tasse (375 ml) de flocons de noix de coco non sucrés
1 tasse (250 ml) d'eau bouillante

Préparation

- Verser l'eau bouillante sur les flocons de noix de coco.
- Dans un mélangeur, mixer cette préparation quelques secondes.
- Laisser reposer 30 minutes.
- Dans une passoire tapissée de mousseline et placée au-dessus d'un bol, laisser égoutter en pressant pour extraire le liquide.
- Utiliser tel quel dans vos recettes.

Comment préparer un beurre d'amande (ou de noix)

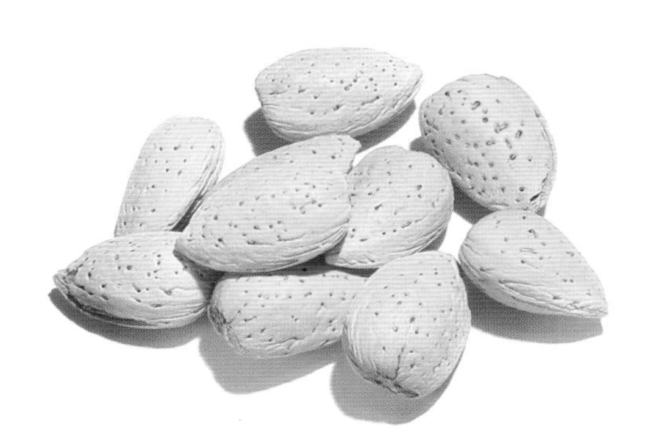

Ingrédients

½ tasse (125 ml) d'amandes émondées
2 c. à soupe d'huile de tournesol ou de pépins de raisin

Préparation

- Mettre les amandes émondées dans un mélangeur et mixer jusqu'à l'obtention d'une mouture fine.
- Ajouter l'huile 1 cuillerée à la fois et mélanger jusqu'à l'obtention d'une pâte épaisse.
- Conserver dans un bocal hermétique au réfrigérateur.

Mélanges d'épices

Préparez vous-même des mélanges d'épices qui donneront toutes leurs saveurs à vos plats. Il suffit de moudre les graines dans un mortier ou un moulin à café que vous préférerez sans doute réserver à cet usage, car les épices l'imprégneront de leurs parfums. Une fois les graines moulues et mesurées, conservez-les dans des flacons de verre bien identifiés, à l'abri de la lumière. Les saveurs continueront à se développer et donneront leur pleine mesure durant les premières semaines de l'entreposage. C'est la raison pour laquelle il vaut mieux préparer des petites quantités d'épices à la fois.

Mélange indien

1 c. à café de cumin
1 c. à café de coriandre
½ c. à café de fenugrec
½ c. à café de curcuma
1 ½ c. à café de poivre noir
¼ c. à café de cardamome
1 c. à café de poudre de chili

Mélange maghrébin

1 c. à café de cumin
1 c. à café de graines de fenouil
1 c. à café de basilic séché
1 c. à café de menthe

Mélange cajun

1 c. à café de poivre de Cayenne
1 c. à café de piments broyés
2 c. à café de paprika
1 c. à café d'origan
1 c. à café de thym
1 c. à café de graines de fenouil

Mélange d'herbes à l'italienne

1 c. à soupe de romarin
1 c. à soupe de basilic
2 c. à café de sarriette
2 c. à café de marjolaine

Tableaux

Les trois tableaux récapitulatifs qui suivent vous aideront à vous rappeler quels sont les aliments que vous auriez intérêt à intégrer à vos menus.

Aliments recommandés selon le problème de santé

Problèmes de santé	*Aliments recommandés*
Affections cardiaques	courge, épinard
Affections cutanées	curcuma
Affections pulmonaires	courge
Affections rénales	riz
Allergies	fenugrec
Anémie	abricot, algues, aubergine, betterave, carotte, citron, cresson, épinard, fenugrec, melon, persil
Anorexie	fenouil, oignon
Appendicite	tomate
Artériosclérose	ananas, seigle
Arthrite	ail, cerise, chou, citron, curcuma, gingembre, laitue lin (graines), orange, poissons gras
Arthrose	ananas, céleri, curcuma, fenugrec, melon
Arythmie	poissons gras
Asthme	courge, orange
Athérosclérose	oignon, thé
Bronchite	fenugrec, oignon
Bronchite chronique	piment rouge
Brûlures d'estomac	ananas
Calculs biliaires	millet
Cancer	ananas, piment rouge, ail, asperge, blé (germe), bleuet, brocoli, tangerine, courgette, épinard, kiwi, laitue, maïs, mangue, melon, noix, oignon, orange, pamplemousse, patate douce, persil céleri, orge, pois, pomme de terre, radis (rose ou noir), raisin (et vin rouge), thé
Cancer de l'endomètre	courge, tomate
Cancer de l'estomac	chou, tomate
Cancer de l'utérus	lin (graines)
Cancer de la peau	abricot, curcuma

Problèmes de santé (suite)	Aliments recommandés (suite)
Cancer de la prostate	chou-fleur, lin (graines), riz, soja, tomate
Cancer du côlon	chou, chou-fleur, figue, lin (graines), navet, poire, rutabaga, panais, poissons gras, riz, tomate
Cancer du foie	abricot
Cancer du pancréas	abricot
Cancer du poumon	abricot, tomate
Cancer du rectum	navet
Cancer du sein	chou-fleur, lin (graines), olive et huile d'olive, poissons gras, riz, soja, tomate
Carie dentaire	maïs, pomme, raisin, thé
Cataracte	brocoli, chou, curcuma, melon, poivron, tomate
Cellulite	ananas
Cholestérol	algues, artichaut, asperge, aubergine, avocat, avoine, banane plantain, carotte, piment rouge, champignon shiitake, épinard, fenugrec, figue, kiwi, lin (graines), maïs, noix, oignon, oléagineux, olive et huile d'olive, orge, pamplemousse, piment rouge, poire, pois, pomme, prune et pruneau, raisin et vin rouge, riz, soja
Coagulation du sang	oignon, piment rouge
Congestion des poumons	piment rouge
Constipation	avocat, carotte, courge, figue, fraise, miel, orge, prune et pruneau,
Crampes et coliques	fenouil
Cystite	canneberge
Démangeaisons diverses	vinaigre de cidre
Diabète	avoine, bleuet, fenugrec, oignon, patate douce
Diarrhée	abricot, banane, bleuet, carotte, curcuma, noix, pomme, riz, thé
Équilibre nerveux	banane
États dépressifs	abricot, épinard, lin (graines), poissons gras
Fatigue chronique	vinaigre de cidre
Flatulence	fenouil, gingembre, persil
Gastro-entérite	vinaigre de cidre, yogourt
Goutte	cerise, citron, endive, fraise, laitue, melon
Grippe	betterave rouge, chou-fleur, gingembre, miel
Hémorragie	orange, pamplemousse, sarrasin
Hémorroïdes	banane plantain, courge, raisin, vinaigre de cidre

Problèmes de santé (suite)	*Aliments recommandés (suite)*
Hypertension	ail, banane, céleri, fenugrec, figue, huile d'olive, kiwi, laitue, melon, piment, pomme de terre, raisin et vin rouge, riz, sarrasin, seigle, thé, topinambour, vinaigre de cidre
Indigestion et malaises digestifs	ananas, artichaut, avocat, radis noir
Indigestion et malaises digestifs (prévention)	blé (germe), céleri, gingembre
Infections à la vessie	vinaigre de cidre
Infection aux yeux	canneberge
Infections bactériennes	ail, algues, carotte, haricot vert, miel, orange, poireau, thé, yogourt
Infections rénales	vinaigre de cidre
Infections urinaires	framboise
Infections virales	ail, champignons shiitake, chou, raisin, thé
Inflammations articulaires	curcuma
Inflammations diverses	ananas
Inflammations cutanées	banane plantain
Inflammations de la bouche	banane plantain, bleuet, framboise
Inflammation des voies respiratoires	banane plantain, fenouil, oignon, piment
Insomnie	abricot
Insuffisance veineuse	bleuet, raisin
Irritations intestinales	figues
Mal des transports	gingembre
Maladies cardiovasculaires	avoine, germe de blé, brocoli, cerise, cresson, framboise, haricot sec, huile d'olive, laitue, lin (graines), mangue, noix, noix de coco, oléagineux, panais, papaye, pêche, piment rouge, poireau, poissons gras, poivron, pomme, vin rouge, riz, seigle, soja
Maladie d'Alzheimer	curcuma, patate douce, poire
Maladies de la peau	curcuma, mangue
Malaises dus à la ménopause	soja
Maladies dégénératives	bleuet
Malaises menstruels	millet, persil
Maladies urinaires (voir Cystite)	
Malformations congénitales (prévention)	betterave rouge
Maux d'estomac	ail, cannelle, citron, framboise
Maux de gorge	ananas, miel, orge, vinaigre de cidre
Maux de tête	gingembre
Maux de tête dus à une mauvaise digestion	vinaigre de cidre

Problèmes de santé *(suite)*	Aliments recommandés *(suite)*
Nausées	gingembre
Névralgie	fenugrec
Obésité	avoine, fraise, framboise, melon, poireau, sarrasin
Ostéoporose	lin (graines)
Problèmes de vision	bleuet, canneberge
Problèmes digestifs	panais, papaye, prune et pruneau, sarrasin, thé
Problèmes de circulation sanguine	sarrasin
Rhumatismes	algues, aubergine, céleri, céleri-rave, cerise, chou, framboise, gingembre, laitue, melon, panais, pomme de terre
Rhume	ananas, chou, chou-fleur, citron, clémentine, fenugrec, gingembre, kiwi, miel, pamplemousse, pois
Syndrome du côlon irritable	artichaut
Tension artérielle	avocat, piment rouge
Toux	orge, radis noir
Tumeur	algues, champignon shiitake, figue
Ulcère	chou, gingembre, miel, pomme de terre, yogourt
Varices	chou, raisin
Vers	ail, citron, curcuma, fenugrec, persil
Vieillissement cellulaire	avocat, framboise, mangue, orange
VIH	avocat, champignon shiitake, fraise, yogourt
Vomissements	gingembre
Zona	chou

Aliments déconseillés selon le problème de santé

Problèmes de santé	Aliments déconseillés
Affection thyroïdienne	radis noir
Affections cutanées	fraise
Allergie à l'aspirine	abricot, tomate
Allergies diverses (personnes sensibles)	arachide, blé (germe), fraise, noix, tomate, vinaigre de cidre
Asthme	abricot
Brûlures d'estomac	tomate
Cancer des ovaires	lin (graines)
Constipation	mâche

Problèmes de santé (suite)	*Aliments déconseillés (suite)*
Cystite	asperge
Diabète	banane, betterave rouge, canneberge, melon, pissenlit, pomme de terre,
Diarrhée	huile d'olive
Diverticules	graines de lin
Dyspepsie	cerise, melon
Entérite	melon
Estomacs sensibles	cresson, papaye, piment rouge, poivron vert, radis rose
Flatulence	chou-fleur, haricot sec, navet, poireau
Goutte	asperge, chou-fleur, pissenlit
Hypertension	algues, banane plantain, germe de blé
Intolérance au gluten	avoine, blé, fraise, orge, seigle
Irritations cutanées	fraise, panais
Irritations de la bouche	mangue non pelée, orange
Irritations gastriques	ail, curcuma
Irritations intestinales	framboise
Jaunisse	chicorée
Maux d'estomac	vinaigre de cidre
Migraine	oignon, tomate verte
Obstruction des voies biliaires	artichaut
Parasites	poisson cru
Paresse digestive	navet
Personnes ayant régime hyposodé	céleri, céleri-rave, olive
Propension aux infections urinaires	épinard
Rhumatismes	asperge, pissenlit
Syndrome du côlon irritable	maïs
Ulcère gastrique	curcuma

Groupes de personnes à risques	*Aliments déconseillés*
Enfants	thé
Femmes allaitant leur bébé	thé
Femmes enceintes	fenugrec, gingembre, persil, thé
Nourrissons	miel
Personnes portées à prendre du poids	avocat, banane, figue, noix, noix de coco
Personnes sensibles aux effets des moisissures	soja
Personnes sujettes à des hémorragies	olive

Tableaux d'équivalences

Températures de cuisson

Fahrenheit	Celsius	Position	Thermostat
150	70	1	très doux - min
170	80	2	doux
200	100	3	doux
250	120	3	doux
275	140	4	doux
300	150	4	doux
325	160	5	moyen
350	180	5	moyen
375	190	6	moyen
400	200	6	moyen
425	220	7	chaud
450	230	7	chaud
475	240	8	chaud
500	260	8	chaud
525	270	9	très chaud
550	290	9	très chaud - max

Poids et mesures

Poids impérial	Poids métrique
½ once	15 g
1 once	30 g
2 onces	60 g
3 onces	90 g
4 onces (¼ lb)	125 g (113,5 g)
6 onces	187,5 g
8 onces (½ lb)	250 g (227 g)
12 onces (¾ lb)	375 g
16 onces (1 lb)	500 g (454 g)
24 onces (1 ½ lb)	750 g
32 onces (2 lb)	1 000 g (1 kg)
3 livres	1 500 g (1,5 kg)
4 livres	2 000 g (2 kg)

Poids et mesures (suite)

Mesures liquides impériales	Tasses	Mesures métriques
1 once (liquide)	⅛ tasse	30 ml
2 onces	¼ tasse	60 ml
	⅓ tasse	75 ml
3 onces	⅜ tasse	100 ml
4 onces	½ tasse	125 ml
5 onces	⅝ tasse	160 ml
6 onces	¾ tasse	180 ml
7 onces	⅞ tasse	220 ml
8 onces	1 tasse	250 ml
10 onces	1 ¼ tasse	300 ml
12 onces	1 ½ tasse	375 ml
14 onces	1 ¾ tasse	430 ml
16 onces	2 tasses	500 ml
20 onces	2 ½ tasses	625 ml

Lexique

Antianémique
Médicament utilisé pour traiter les patients souffrant d'anémie, il augmente la quantité de globules rouges ou la concentration d'hémoglobine du sang.

Antioxydant
Substance principalement contenue dans les fruits et les légumes, qui ralentit ou empêche le processus d'oxydation et les effets nuisibles des radicaux libres.

Antibactérien
Qui exerce une action nocive sur les bactéries.

Antiseptique
Qui permet l'antisepsie par la destruction des germes pathogènes.

Antispasmodique
Qui combat les contractions, les crampes et les convulsions.

Antiviral
Se dit d'une substance active contre les virus.

Bêta-carotène
Pigment qui donne leur couleur vive aux fruits et aux légumes, tels l'abricot, la carotte, le melon, le poivron rouge et le brocoli. Il possède des propriétés antioxydantes qui neutralisent les radicaux libres.

Dépuratif
Qui purifie l'organisme en favorisant l'élimination des toxines et des déchets organiques.

Diurétique
Qui augmente la sécrétion urinaire.

Expectorant
Se dit d'un médicament qui facilite l'expulsion de sécrétions des voies respiratoires.

Folate ou acide folique
Molécule agissant comme la vitamine B_{12} pour produire le matériel génétique de l'ADN et de l'ARN, et qui intervient dans la multiplication des cellules.

Hypocholestérolémiant
Qui fait diminuer le taux de cholestérol sanguin.

HYPOTENSEUR
Qui fait diminuer la tension artérielle.

IMMUNOSTIMULANT
Qui amplifie la fonction du système immunitaire.

MONOINSATURÉS, ACIDES GRAS
Acides gras jouant un rôle protecteur contre les maladies cardiovasculaires et le rétrécissement des artères.

OLIGO-ÉLÉMENTS
Éléments chimiques indispensables, en quantités infimes, pour le maintien d'un état de santé normal.

REMINÉRALISANT
Se dit d'un aliment qui recharge les éléments minéralisants solubles.

STOMACHIQUE
Tonique qui stimule et augmente la fonction gastrique.

VERMIFUGE
Qui provoque l'expulsion des vers parasitant l'intestin.

Index des aliments

Index des recettes

Table des matières